# SUBMISSÃO

MICHEL HOUELLEBECQ

# SUBMISSÃO

Tradução
Rosa Freire d'Aguiar

*13ª reimpressão*

*Grafia atualizada segundo o Acordo Ortográfico da Língua Portuguesa de 1990, que entrou em vigor no Brasil em 2009.*

*Título original*
Soumission

*Capa*
Alceu Chiesorin Nunes

*Revisão*
André Marinho
Ana Kronemberger

CIP-Brasil. Catalogação na fonte
Sindicato Nacional dos Editores de Livros, RJ

H832s

Houellebecq, Michel
Submissão / Michel Houellebecq ; tradução Rosa Freire d'Aguiar. – 1ª ed. – Rio de Janeiro : Objetiva, 2015.
256 p.

Tradução de: Soumission.
ISBN 978-85-7962-382-0

1. Ficção francesa. I. D'Aguiar, Rosa Freire. II. Título.

15-20654 CDD-843
CDU-821.133.1-3


EDITORA SCHWARCZ S.A.
Praça Floriano, 19, sala 3001 — Cinelândia
20031-050 — Rio de Janeiro — RJ
Telefone: (21) 3993-7510 0
www.companhiadasletras.com.br
www.blogdacompanhia.com.br
facebook.com/editora.alfaguara
instagram.com/editora_alfaguara
twitter.com/alfagura_br

# I

*Um zum-zum o levou a Saint-Sulpice: o coro partia; a igreja ia fechar. Eu bem que deveria tentar rezar, ele pensou; seria melhor que devanear assim no vazio, numa cadeira; mas rezar? Não tenho vontade; estou obcecado pelo Catolicismo, inebriado por sua atmosfera de incenso e cera, giro em seu redor, tocado até as lágrimas por suas preces, esmagado até os ossos por suas salmodias e seus cantos. Estou um tanto enfastiado de minha vida, um tanto cansado de mim, mas daí a levar outra existência vai uma distância! E além disso... e além disso... se me sinto perturbado nas capelas, torno a ficar incomovido e seco assim que saio dali. No fundo, pensou, levantando-se e seguindo as poucas pessoas que se dirigiam, desviadas pelo sacristão, para uma porta, no fundo tenho o coração empedernido e enfumaçado pelas farras, não presto para nada.*

J. K. HUYSMANS, *En route*

Durante todos os anos de minha triste juventude, Huysmans foi para mim um companheiro, um amigo fiel; nunca tive dúvida, nunca fui tentado a abandonar, nem a me orientar para outro tema; e então, numa tarde de junho de 2007, depois de longamente esperar, depois de tanto tergiversar até um pouco mais que o admissível, defendi perante a banca da universidade Paris IV-Sorbonne minha tese de doutorado: *Joris-Karl Huysmans, ou a saída do túnel*. Já na manhã seguinte (ou talvez já na própria noite, não posso garantir, pois a noite de minha defesa foi solitária e muito alcoolizada), entendi que uma parte de minha vida acabava de terminar, e era provavelmente a melhor.

Este é o caso, em nossas sociedades ainda ocidentais e social-democratas, de todos os que concluem seus estudos, mas que em sua maioria não tomam, ou não imediatamente, consciência disso, hipnotizados que estão pela ânsia do dinheiro, ou talvez do consumo, entre os mais primitivos, aqueles que desenvolveram o vício mais violento a certos produtos (são minoria, pois a maioria, mais sensata e ajuizada, desenvolve um fascínio simples pelo dinheiro, esse "Proteu incansável"), hipnotizados ainda mais pelo desejo de passar pelas provações, de consolidar um lugar social invejável num mundo que imaginam e esperam ser competitivo, galvanizados que estão pela adoração a ícones mutáveis: atletas, criadores de moda ou de portais da internet, atores e modelos.

Por diferentes razões psicológicas que não tenho competência nem vontade de analisar, me afastei sensivelmente desse esquema. No dia 1º de abril de 1866, então com dezoito anos, Joris-Karl Huysmans iniciou sua carreira de funcionário de sexta classe, no Ministério do Interior e dos Cultos. Em 1874, publicou por conta própria uma primeira coletânea de poemas em prosa, *Le drageoir à épices*, que foi objeto de poucas resenhas, fora um artigo extremamente fraterno de Théodore de Banville. Seus inícios na existência, como se vê, nada tiveram de estrondosos.

Sua vida administrativa foi passando e, mais genericamente, sua vida. No dia 3 de setembro de 1893, a Legião de Honra lhe foi outorgada por seus méritos no funcionalismo público. Em 1898, aposentou-se, tendo cumprido — uma vez contabilizadas as licenças por motivos pessoais — seus trinta anos regulamentares de serviço. Nesse meio-tempo, dera um jeito de escrever diferentes livros que me fizeram, com mais de um século de distância, considerá-lo um amigo. Muitas coisas, demasiadas coisas talvez foram escritas sobre a literatura (e, como professor universitário especialista nesse campo, sinto-me mais que qualquer outro habilitado a falar a respeito). A especificidade da literatura, *arte maior* de um Ocidente que se conclui diante dos nossos olhos, não é, porém, muito difícil de definir. Tanto quanto a literatura, a música pode determinar uma reviravolta, um transtorno emotivo, uma tristeza ou um êxtase absolutos; tanto quanto a literatura, a pintura pode gerar um deslumbramento, um olhar novo depositado sobre o mundo. Mas só a literatura pode dar essa sensação de contato com outro espírito humano, com a integralidade desse espírito, suas fraquezas e grandezas, suas limitações, suas mesquinharias, suas ideias fixas, suas crenças; com tudo o que o comove, o interessa, o excita ou o repugna. Só a literatura permite entrar em contato com o espírito de um morto, da maneira mais direta, mais completa e até mais profunda do que a conversa com um amigo — por mais profunda e duradoura que seja uma amizade, numa conversa nunca nos entregamos tão completamente como o fazemos diante de uma página em branco, dirigindo-nos a um destinatário desconhecido. Então, é claro, quando se trata de literatura, a beleza do estilo, a musicalidade das frases têm sua importância; a profundidade da reflexão do autor, a originalidade de seus pensamentos não são de desprezar; mas um autor é antes de tudo um ser humano, presente em seus livros; que escreva muito bem ou muito mal, em última análise, importa pouco, o essencial é que escreva e esteja, de fato, presente em seus livros (é estranho que uma condição tão simples, na aparência tão pouco discriminatória, na realidade o seja tanto, e que esse fato evidente, facilmente observável, tenha sido tão pouco explorado pelos filósofos de diversas vertentes: como os seres humanos possuem em princípio, à falta de outra qualidade, uma idêntica quantidade de ser, todos estão em princípio mais ou menos igualmente *presentes*; porém, não é esta a impressão que dão, com alguns séculos de distância, e é frequente vermos se esfiapar, páginas a fio, que sentimos ditadas mais pelo espírito do tempo do que por uma individualidade própria, um ser incerto, cada vez mais fantasmático e anônimo). Da mesma maneira, um livro que amamos é antes de tudo um livro cujo autor amamos, a quem temos vontade de encontrar, com quem desejamos passar nossos dias. E durante esses sete anos que durou a redação de minha tese vivi na companhia de Huysmans, em sua presença quase permanente. Nascido na rue Suger, tendo morado na rue de Sèvres e na rue Monsieur, Huysmans morreu na rue Saint-Placide e foi enterrado no cemitério de Montparnasse. Em suma, quase toda sua vida se passou nos limites do sexto arrondissement de Paris — assim como sua vida profissional, por mais de trinta anos, se passou nas salas do Ministério do Interior e dos Cultos. Na época eu também morava no sexto arrondissement de Paris, num quarto úmido e frio, sobretudo extremamente escuro — as janelas davam para um pátio minúsculo, quase um poço, era preciso acender a luz desde o início da manhã. Eu sofria com a pobreza, e se devesse ter respondido a uma dessas pesquisas que tentam regularmente "tomar o pulso da juventude", é provável que tivesse definido minhas condições de vida como "muito difíceis". No entanto, na manhã seguinte à minha defesa de tese (talvez na própria noite), meu primeiro pensamento foi que eu acabava de perder algo inapreciável, algo que nunca mais reencontraria: minha liberdade. Por vários anos, os últimos resíduos de uma social-democracia agonizante tinham me permitido (graças a uma bolsa de estudos, a um sistema extenso de descontos e vantagens sociais, a refeições medíocres mas baratas no restaurante universitário) dedicar a integralidade de meus dias a uma atividade que eu escolhera: o livre convívio intelectual com um amigo. Como nota com acerto André Breton, o humor de Huysmans representa o caso único de um humor generoso, que põe o leitor em posição de vantagem, que convida o leitor a escarnecer de antemão do autor, do excesso de suas descrições lamurientas, atrozes ou risíveis. E eu aproveitara melhor que ninguém essa generosidade, recebendo minhas doses de maionese de aipo, ou merluza com purê, nos compartimentos daquele bandejão metálico de hospital que o restaurante universitário Bullier entregava a seus desafortunados clientes (que visivelmente não tinham para onde ir, com certeza haviam sido barrados em todos os restaurantes universitários aceitáveis, mas possuíam a carteira de estudante, pois isso não podia ser tirado deles), enquanto eu pensava nos epítetos de Huysmans, o queijo *desolador*, o *temível* linguado, e imaginava o proveito que Huysmans, que não os conhecera, poderia ter tirado daqueles compartimentos metálicos carcerários, e me sentia um pouco menos infeliz, um pouco menos sozinho, no restaurante universitário Bullier.

Mas tudo isso estava terminado; minha juventude, mais genericamente, estava terminada. Em breve (e sem dúvida muito depressa), eu deveria me envolver num processo de inserção profissional. O que não me alegrava nem um pouco.

Os estudos universitários no campo das letras não levam, como se sabe, praticamente a nada, a não ser, para os estudantes mais dotados, a uma carreira de ensino universitário no campo das letras — em suma, temos a situação um tanto cômica de um sistema sem outro objetivo além de sua própria reprodução, acompanhado por uma taxa de não aproveitamento superior a noventa e cinco por cento. Esses estudos no entanto não são nocivos e podem até apresentar uma utilidade marginal. Uma moça que procure um emprego de vendedora na Céline ou na Hermès deverá naturalmente, e em primeiríssimo lugar, cuidar de sua aparência; mas uma graduação ou um mestrado em letras modernas poderá constituir um trunfo secundário que garanta ao patrão, na falta de competências mais aproveitáveis, uma certa agilidade intelectual que pressagie a possibilidade de uma evolução na carreira — a literatura, além do mais, vem desde sempre acompanhada de uma conotação positiva no ramo da indústria do luxo.

No meu caso, eu tinha consciência de fazer parte da mínima franja dos "estudantes mais dotados". Escrevera uma boa tese, eu sabia, e esperava uma menção honrosa; fiquei até agradavelmente surpreso com as *felicitações do júri por unanimidade*, e mais ainda quando recebi meu relatório de tese, que era excelente, quase ditirâmbico; a partir daí, tinha boas chances de me qualificar, se desejasse, para o cargo de professor adjunto. Em suma, minha vida continuava, por sua uniformidade e insipidez previsíveis, a se assemelhar à de Huysmans um século e meio antes. Eu tinha passado os primeiros anos de minha vida de adulto numa universidade; ali passaria provavelmente os últimos, e talvez na mesma (na verdade, não foi exatamente assim: obtive meus diplomas na universidade Paris IV-Sorbonne, e fui nomeado para a de Paris III, um pouco menos prestigiosa, mas também localizada no quinto arrondissement, a poucas centenas de metros de distância).

Nunca tivera a menor vocação para o ensino — e, quinze anos mais tarde, minha carreira apenas confirmara essa ausência de vocação inicial. Algumas aulas particulares dadas na esperança de melhorar meu padrão de vida me convenceram muito cedo de que a transmissão do saber era, quase sempre, impossível; a diversidade das inteligências, extrema; e que nada conseguiria suprimir nem sequer atenuar essa desigualdade fundamental. Talvez, mais grave ainda, eu não gostasse dos jovens — e jamais tinha gostado, nem na época em que podia ser considerado como um integrante de suas fileiras. A ideia de juventude implicava, parecia-me, certo entusiasmo em relação à vida, ou talvez certa revolta, tudo isso acompanhado por uma vaguíssima sensação de superioridade com respeito à geração que se era chamado a substituir; eu nunca tinha sentido em mim nada parecido. No entanto, tive amigos, no tempo da juventude — ou, mais exatamente, certos colegas com quem eu podia imaginar, sem asco, ir tomar um café ou uma cerveja entre uma aula e outra. Sobretudo, tive amantes — ou melhor, como se dizia na época (e como talvez ainda se dissesse), tive *namoradinhas* — mais ou menos na base de uma por ano. Essas relações amorosas se desenvolveram segundo um esquema relativamente imutável. Nasciam no início do ano letivo, durante um trabalho de grupo, uma troca de notas de aula, em suma, uma dessas múltiplas ocasiões de socialização, tão frequentes na vida do estudante, e cujo desaparecimento, ao se entrar na vida profissional, mergulha a maioria dos seres humanos numa solidão tão espantosa quanto radical. Elas seguiam seu curso ao longo de todo o ano, as noites eram passadas na casa de um ou de outro (bem, sobretudo na casa delas, pois o ambiente lúgubre, e até insalubre, de meu quarto se prestava mal a *encontros românticos*) e envolviam atos sexuais (com uma satisfação que eu gosto de imaginar mútua). No fim das férias de verão, portanto no início do novo ano letivo, a relação terminava, quase sempre por iniciativa das garotas. Tinham *vivido alguma coisa* durante o verão, era essa a explicação que me davam, no mais das vezes sem maiores esclarecimentos; algumas, menos preocupadas talvez em me poupar, me comunicavam que tinham *encontrado alguém*. Sim, e daí? Eu também era *alguém*. Com a distância, essas explicações factuais me parecem insuficientes: tinham de fato, não nego, *encontrado alguém*; mas o que as levara a atribuir a esse encontro um peso suficiente para interromper nossa relação e se envolverem numa relação nova era apenas a aplicação de um modelo comportamental amoroso poderoso mas implícito, e mais poderoso ainda na medida em que permanecia implícito.

Segundo o modelo amoroso prevalecente nesses anos de minha juventude (e nada me faz pensar que as coisas tenham mudado significativamente), os jovens, depois de um período curto de vagabundagem sexual que corresponde à pré-adolescência, deviam se envolver, supostamente, em relações amorosas exclusivas, acompanhadas de uma monogamia estrita, em que entravam em cena atividades não só sexuais mas também sociais (saídas, fins de semana, férias). Essas relações não tinham, porém, nada de definitivo, mas deviam ser consideradas aprendizados da relação amorosa, de certa forma *estágios* (cuja prática se generalizava, aliás, no plano profissional como algo prévio ao primeiro emprego). Relações amorosas de duração variável (a duração de um ano que, por minha vez, eu mantinha podia ser considerada aceitável), em número variável (uma média de dez a vinte parecia razoável), deviam supostamente se suceder antes de resultar, como uma apoteose, na relação última, que teria, agora sim, caráter conjugal e definitivo, e levaria, pela geração de filhos, à constituição de uma família.

Só me daria conta da perfeita inanição desse esquema muito mais tarde, bem recentemente, na verdade, quando tive oportunidade, com algumas semanas de intervalo, de encontrar por acaso Aurélie, e depois Sandra (mas, estou convencido, o encontro com Chloé ou Violaine não teria mudado significativamente minhas conclusões). Assim que cheguei ao restaurante basco onde, a meu convite, ia jantar com Aurélie, percebi que passaria uma noite lamentável. Apesar das duas garrafas de Irouléguy branco que fui praticamente o único a beber, senti dificuldades crescentes, que logo se tornaram intransponíveis, em manter um nível razoável de comunicação calorosa. Sem que eu conseguisse realmente explicar, de imediato me pareceu indelicado e quase impensável evocar lembranças comuns. Quanto ao presente, era óbvio que Aurélie não conseguira, de jeito nenhum, se envolver num relacionamento conjugal, que as aventuras ocasionais lhe causavam aversão crescente, que sua vida sentimental, enfim, se encaminhava para um desastre irremediável e completo. Entretanto, ela havia tentado ao menos uma vez, compreendi por diversos indícios, e não se recuperara desse fracasso, e a amargura e o rancor com que evocava seus colegas masculinos (tínhamos chegado, na falta de algo melhor, a falar de sua vida profissional — ela era responsável pela comunicação no sindicato interprofissional dos vinhos de Bordeaux, portanto viajava muito, em especial pela Ásia, para promover as safras francesas) revelavam com cruel evidência que levara *umas boas traulitadas.* Mas fiquei surpreso quando me convidou, logo antes de sair do táxi, para "tomar uma saideira". Ela está realmente na pior, pensei, e já sabia, na hora em que a porta do elevador se fechou atrás de nós, que nada aconteceria, não tinha sequer vontade de vê-la nua, teria preferido evitar, mas a coisa se produziu, e apenas confirmou o que eu já pressentia: não era apenas no plano emocional que ela levara *umas traulitadas*, seu corpo sofrera estragos irreparáveis, sua bunda e seus seios não eram mais que superfícies de carnes magras, reduzidas, moles e caídas, ela já não podia, nunca mais poderia ser considerada um objeto de desejo.

Meu jantar com Sandra se passou mais ou menos no mesmo esquema, com algumas variações individuais (restaurante de frutos do mar, cargo de secretária de diretoria numa multinacional farmacêutica), e sua conclusão foi, grosso modo, idêntica, com a diferença de que Sandra, mais cheinha e mais jovial que Aurélie, me deixou com uma impressão de desamparo menos profunda. Sua tristeza era grande, irremediável, e eu sabia que acabaria encobrindo tudo; como Aurélie, no fundo ela não passava de um *pássaro sujo de petróleo numa maré negra*, mas conservara, se posso me expressar assim, uma capacidade superior de bater as asas. Em um ou dois anos deixaria de lado qualquer ambição matrimonial, os vestígios de sua sensualidade a impeliriam a buscar a companhia de gente jovem, ela se tornaria o que se chamava em minha juventude uma *coroa enxuta*, e provavelmente isso duraria alguns anos, dez na melhor das hipóteses, antes que o desabamento de suas carnes, desta vez redibitório, a levasse a uma solidão definitiva.

Na época de meus vinte anos, na época em que eu ficava de pau duro com qualquer pretexto, e às vezes até sem razão, em que de certa forma me excitava *no vazio*, poderia me sentir tentado por uma relação desse tipo, a um só tempo mais satisfatória e mais lucrativa do que minhas aulas particulares, e acho que naquela época conseguiria me *garantir*, mas agora, é claro, nem pensar nisso, minhas ereções mais raras e mais casuais exigiam corpos firmes, flexíveis e sem defeito.

Minha própria vida sexual, nos primeiros anos que se seguiram à nomeação para o posto de professor adjunto da universidade Paris III-Sorbonne, não conheceu evolução notável. Continuei, ano após ano, a dormir com estudantes da faculdade — e o fato de estar na posição de professor não mudava muita coisa em relação a elas. Seja como for, no início era bastante pequena a diferença de idade entre mim e essas estudantes, e só aos poucos é que uma dimensão de transgressão foi se introduzir, mais ligada à evolução de meu estatuto universitário do que a meu envelhecimento real ou mesmo aparente. Beneficiei-me amplamente, em suma, dessa desigualdade de base que reza que o envelhecimento no homem só altera muito devagar seu potencial erótico, ao passo que na mulher o desabamento se produz com uma brutalidade estarrecedora, em poucos anos, às vezes em alguns meses. A única verdadeira diferença em relação a meus anos de estudante é que, via de regra, agora era eu que terminava a relação no início do ano letivo. Não o fazia por ser um dom-juan, de jeito nenhum, nem por desejar uma libertinagem desenfreada. Ao contrário de meu colega Steve, responsável junto comigo pelo ensino de literatura do século XIX no primeiro e segundo anos, eu não me desabalava com avidez, desde o primeiro dia de aula, para observar "as novas levas" de alunas de primeiro ano (com seus suéteres, seus tênis Converse e seu look vagamente californiano, toda vez ele me fazia pensar em Thierry Lhermitte em *Les Bronzés*, quando sai de sua cabaninha para assistir à chegada ao clube dos veranistas da semana). Se eu rompia meu relacionamento com essas moças, era mais sob o efeito de um desânimo, de um cansaço: realmente já não me sentia em condições de manter uma relação amorosa, e desejava evitar qualquer decepção, qualquer desilusão. Mudava de opinião durante o ano letivo, sob influência de fatores externos e muito episódicos — em geral uma saia curta.

E depois, isso também acabava. Tinha me afastado de Myriam no final de setembro, já estávamos em meados de abril, o ano letivo se aproximava do final e eu ainda não a substituíra. Fora nomeado professor titular, minha carreira acadêmica atingia com isso uma espécie de coroação, mas eu não pensava que, de fato, fosse possível estabelecer uma relação entre as duas coisas. Em compensação, foi pouco depois de meu rompimento com Myriam que encontrei Aurélie, e depois Sandra, e nisso havia uma conexão perturbadora, e desagradável, e desconfortável. Porque tive de me dar conta, e repisei isso ao longo dos dias, de que minhas *ex* e eu estávamos muito mais próximos do que imaginávamos, e as relações sexuais ocasionais, não inscritas numa perspectiva de casal estável, acabaram nos inspirando um sentimento de desilusão muito semelhante. Ao contrário delas, eu não podia me abrir com ninguém, pois as conversas sobre a vida íntima não fazem parte dos temas considerados admissíveis na sociedade dos homens: eles falarão de política, de literatura, de mercados financeiros ou de esportes, dependendo do temperamento. Sobre sua vida amorosa manterão silêncio, e isso até seu último suspiro.

Será que, ao envelhecer, eu era vítima de uma espécie de andropausa? Aquilo podia estar realmente acontecendo e, para tirar a limpo, resolvi passar minhas noites no YouPorn, que ao longo dos anos se tornou um site pornô de referência. O resultado foi, logo de saída, extremamente tranquilizador. O YouPorn respondia às fantasias dos homens normais, espalhados pela superfície do planeta, e eu era, o que se confirmou desde os primeiros minutos, um homem de normalidade absoluta. Isso, afinal de contas, não tinha nada de óbvio, eu dedicara grande parte da vida ao estudo de um autor volta e meia considerado uma espécie de *decadente*, cuja sexualidade não era, por isso mesmo, um assunto muito claro. Pois bem, saí da prova absolutamente sossegado. Aqueles vídeos ora magníficos (filmados por uma turma de Los Angeles, havia um elenco, um iluminador, câmeras e diretores de fotografia), ora lamentáveis, mas *vintage* (os diletantes alemães), baseavam-se em alguns roteiros idênticos e agradáveis. Num dos mais difundidos, um homem (moço? velho? Havia as duas versões) deixava bestamente seu pênis dormir no fundo de uma cueca ou de um short. Duas moças de raça variável se davam conta dessa incongruência, e a partir daí só pensavam em liberar o órgão de seu abrigo temporário. Elas faziam, para inebriá-lo, as mais alucinantes provocações, tudo isso sendo perpetrado num espírito de amizade e cumplicidade femininas. O pênis passava de uma boca a outra, as línguas se cruzavam como se cruzam os voos de andorinhas, ligeiramente inquietas, no céu escuro do sul do Seine-et-Marne quando se preparam para abandonar a Europa em sua peregrinação de inverno. O homem, aniquilado por essa assunção, só pronunciava umas palavras extenuadas; horrivelmente extenuadas na versão para os franceses ("Ai, porra!", "Ai, porra estou gozando!", era isso mais ou menos o que se podia ouvir de um povo regicida), e mais belas e intensas na versão para os americanos ("Oh, my God!", "Oh, Jesus Christ!"), testemunhas exigentes, para quem aquilo era como uma intimação a não se desprezar os dons de Deus (as felações, a posição do frango assado), seja como for eu também ficava de pau duro, na frente da tela do meu iMac 27 polegadas, portanto tudo ia muitíssimo bem.

Desde que eu fora nomeado professor, meus horários reduzidos de aula me permitiram concentrar na quarta-feira o conjunto de minhas tarefas universitárias. Isso se iniciava, de oito às dez, com um curso sobre literatura do século XIX que eu dava para os estudantes de segundo ano — ao mesmo tempo, Steve dava, num auditório vizinho, um curso análogo para os do primeiro ano. De onze à uma da tarde, eu dava o curso de especialização 2 sobre os decadentes e os simbolistas. Depois, entre três e seis da tarde, organizava um seminário em que respondia às perguntas dos doutorandos.

Gostava de pegar o metrô pouco depois das sete da manhã e ter a ilusão fugaz de pertencer à "França que levanta cedo", a dos operários e artesãos, mas devia ser mais ou menos o único nesse caso, pois dava aula às oito numa sala quase deserta, fora um grupo compacto de chinesas, de uma seriedade gélida, que falavam pouco entre si e nunca com nenhuma outra pessoa. Mal chegavam, ligavam os smartphones para gravar a integralidade de minha aula, o que não as impedia de tomarem notas em grandes cadernos de 21 x 29,7 com espiral. Nunca me interrompiam, não faziam nenhuma pergunta, e as duas horas se passavam sem me dar a impressão de terem realmente começado. Na saída da aula eu encontrava Steve, que tivera uma audiência comparável — com a diferença de que as chinesas eram substituídas, no caso dele, por um grupo de magrebinas de véu, mas igualmente sérias, igualmente impenetráveis. Quase sempre ele me propunha irmos tomar alguma coisa — geralmente um chá de hortelã na grande mesquita de Paris, a poucas ruas da faculdade. Eu não gostava de chá de hortelã, nem da grande mesquita de Paris, e também não gostava muito de Steve, mas o acompanhava. Penso que ele me era grato por aceitar, pois não era muito respeitado por seus colegas em geral, na verdade era de se perguntar como conseguira o estatuto de professor adjunto, pois não havia publicado nada, em nenhuma revista importante nem mesmo de segundo plano, e só era autor de uma vaga tese sobre Rimbaud, *tema embromação* por excelência, como me explicara Marie-Françoise Tanneur, outra colega minha, por sua vez reconhecida especialista em Balzac, pois milhares de teses foram escritas sobre Rimbaud, em todas as universidades da França, dos países francofônicos e mesmo em outros, e Rimbaud é provavelmente o assunto de tese mais batido do mundo, com exceção talvez de Flaubert, então basta ir procurar duas ou três teses antigas, defendidas em universidades do interior, e intercalá-las vagamente, e ninguém terá meios materiais de checar, ninguém terá meios nem sequer vontade de mergulhar em centenas de milhares de páginas incansavelmente paridas sobre o *vidente* por estudantes destituídos de personalidade. A carreira universitária mais que honrosa de Steve se devia unicamente, ainda segundo Marie-Françoise, ao fato de que ele *fazia minete na dona Delouze*. Era possível, embora surpreendente. Com seus ombros quadrados, seu cabelo grisalho escovinha e seu currículo implacavelmente *gender studies*, Chantal Delouze, reitora da universidade Paris III-Sorbonne, me parecia uma lésbica cem por cento madeira de lei, mas eu podia estar enganado, aliás talvez ela sentisse rancor pelos homens, expressando-se por fantasias de dominação, e talvez o fato de obrigar o gentil Steve, com seu rosto bonito e inofensivo, seu cabelo meio comprido, cacheado e fino, a se ajoelhar entre suas coxas atacarradas lhe proporcionasse êxtases de um gênero novo. Verdade ou mentira, eu não conseguia deixar de pensar nisso, naquela manhã, no pátio do salão de chá da grande mesquita de Paris, olhando-o chupar sua repulsiva chicha aromatizada de maçã.

Sua conversa versava, como de hábito, sobre nomeações e evoluções da carreira dentro da hierarquia universitária, e não creio que algum dia tivesse tratado de outro tema por conta própria. Sua preocupação naquela manhã era a nomeação para o posto de professor assistente de um sujeito de vinte e cinco anos, autor de uma tese sobre Léon Bloy, e que segundo ele tinha "relações com a corrente identitária". Acendi um cigarro para ganhar tempo, me perguntando que diachos ele tinha a ver com isso. Por um instante me passou pelo espírito até mesmo a ideia de que *o homem de esquerda* despertava nele, e depois caí em mim: o homem de esquerda estava profundamente adormecido em Steve, e nenhum acontecimento de importância menor que um deslocamento político das instâncias dirigentes da universidade francesa teria condições de tirá-lo de seu sono. Talvez fosse um sinal, ele prosseguiu, ainda mais que Amar Rezki, conhecido por seus trabalhos sobre os autores antissemitas do início do século XX, acabava de ser nomeado professor. Aliás, insistiu ele, a conferência dos reitores se associara recentemente a uma operação de boicote aos intercâmbios com os pesquisadores israelenses, iniciada por um grupo de universidades inglesas.

Aproveitando a sua concentração na chicha, que custava a ser chupada, consultei discretamente meu relógio e verifiquei que eram apenas dez e meia, dificilmente eu poderia alegar a iminência de meu segundo curso para me despedir, e depois me veio uma ideia para retomar a conversa sem maiores riscos: nas últimas semanas voltava a se falar de um velho projeto de pelo menos quatro ou cinco anos, relativo à implantação de uma réplica da Sorbonne em Dubai (ou no Bahrein? ou no Catar? eu os confundia). Um projeto semelhante estava em estudo com Oxford, pois a antiguidade de nossas duas universidades devia ter seduzido uma petromonarquia qualquer. Nessa perspectiva, certamente promissora em matéria de oportunidades financeiras reais para um jovem professor adjunto, ele pensava em se apresentar como candidato, manifestando posições antissionistas? E ele achava que eu deveria adotar a mesma atitude?

Dei para Steve um olhar brutalmente inquisidor — o rapaz não tinha grande inteligência, era fácil desestabilizá-lo, meu olhar teve um efeito rápido. "Como especialista em Bloy", ele gaguejou, "com certeza você sabe coisas sobre essa corrente identitária, antissemita..." Suspirei, exausto: Bloy não era antissemita, e eu não era de jeito nenhum especialista em Bloy. É claro que fora levado a falar dele, por ocasião de minhas pesquisas sobre Huysmans, e a comparar o uso da linguagem em cada um, em meu único livro publicado, *Vertigens dos neologismos* — talvez o ápice de meus esforços intelectuais terrestres, que, em todo caso, obtivera excelentes críticas em *Poétique* e em *Romantisme*, e ao qual eu provavelmente devia minha nomeação para o cargo de professor. Na verdade, grande parte das palavras estranhas que encontramos em Huysmans não eram neologismos, mas palavras raras tiradas do vocabulário específico de certas corporações artesanais, ou de certos dialetos regionais. Huysmans, era essa minha tese, permanecera até o final um naturalista, preocupado em incorporar à sua obra o falar real do povo, e em certo sentido talvez até tivesse continuado a ser o socialista que participava das noitadas de Médan na casa de Zola, seu desprezo crescente pela esquerda jamais apagou a aversão inicial pelo capitalismo, pelo dinheiro, e por tudo o que podia se aparentar aos valores burgueses, em suma, era o tipo único de um *naturalista cristão*, ao passo que Bloy, constantemente ávido pelo sucesso comercial ou mundano, só buscava com seus neologismos incessantes se singularizar, se estabelecer como luz espiritual almejada, inacessível ao mundo, e escolhera um posicionamento místico-elitista na sociedade literária de seu tempo e mais adiante não parou de se espantar do próprio fracasso, e da indiferença, no entanto legítima, que suas imprecações causavam. Era, escreveu Huysmans, "um homem infeliz, cujo orgulho é realmente diabólico, e o ódio, incomensurável". Na verdade, desde o início Bloy me pareceu o protótipo do *mau católico*, cuja fé e cujo entusiasmo só se exaltam realmente quando ele pode considerar seus interlocutores como condenados. No entanto, na época em que escrevia minha tese estive em contato com diferentes círculos católico-monarquistas de esquerda, que divinizavam Bloy e Bernanos e me acenavam com esta ou aquela carta manuscrita, até eu perceber que não tinham nada, absolutamente nada a me oferecer, nenhum documento que eu não conseguisse facilmente encontrar por conta própria nos arquivos normalmente acessíveis ao público universitário.

"Você com certeza está na pista de alguma coisa... Releia Drumont", eu disse então a Steve, mais para agradá-lo, e ele me cravou um olhar obediente e ingênuo de criança oportunista. Diante da porta de minha sala de aula — nesse dia eu previra falar de Jean Lorrain —, três sujeitos de uns vinte anos, dois árabes e um negro, bloqueavam a entrada; hoje não estavam armados e tinham um jeito mais para calmo, não havia nada de ameaçador na atitude deles, mas o fato é que obrigavam as pessoas a terem de atravessar seu grupo para entrar na sala, e eu precisava intervir. Parei na frente deles: com certeza deviam ter ordem de evitar provocações, tratar com respeito os professores da faculdade, enfim, era o que eu esperava.

"Sou professor desta universidade, devo dar minha aula agora", falei num tom firme, dirigindo-me ao grupo. Foi o negro que me respondeu, com um grande sorriso. "Sem problema, senhor, nós só viemos visitar nossas irmãs...", disse ele, apontando para o auditório com um gesto tranquilizador. Em matéria de irmãs, só havia duas moças de origem magrebina, sentadas lado a lado, no alto à esquerda do auditório, vestidas com uma burca preta, os olhos protegidos por uma redinha, em suma, me pareciam visivelmente irrepreensíveis. "Então, pois é, já viram..." concluí com bondade. "Agora podem ir embora", insisti. "Sem problema, senhor", ele respondeu com um sorriso ainda mais largo, e depois deu meia-volta, seguido pelos outros, que não tinham pronunciado uma palavra. Três passos adiante, virou-se para mim. "A paz esteja com o senhor...", disse, se inclinando ligeiramente. "Correu tudo bem...", pensei ao fechar a porta da sala, "desta vez correu tudo bem". Na verdade não sei muito bem o que eu esperava, tinha havido rumores de agressões a professores em Mulhouse, em Estrasburgo, em Aix-Marseille e em Saint-Denis, mas eu nunca tinha encontrado um colega agredido e, no fundo, não acreditava realmente nisso, aliás, segundo Steve, fora fechado um acordo entre os movimentos de jovens salafistas e as autoridades universitárias, e ele via como prova disso o fato de que os pivetes e os traficantes tivessem desaparecido de vez, já fazia dois anos, dos arredores da faculdade. O acordo comportava uma cláusula que proibia o acesso à faculdade das organizações judaicas? De novo, isso não passava de um boato, dificilmente verificável, mas o fato é que a União dos Estudantes Judeus da França já não estava representada, desde o último início de ano letivo, em nenhum campus da região parisiense, enquanto a seção juvenil da Fraternidade Muçulmana tinha, um pouco em todo lado, multiplicado suas representações.

Ao sair de minha aula (por que as duas virgens de burca estariam interessadas em Jean Lorrain, esse veado nojento, que se autoproclamava *enfilantropo*? Seus pais estavam informados do conteúdo exato de seus estudos? A literatura tinha costas quentes), topei com Marie-Françoise, que propôs almoçarmos juntos. Decididamente, meu dia seria social.

Eu gostava à beça dessa divertida e velha peste, sedenta ao extremo de fofocas; sua senioridade como professora e sua posição em certas comissões consultivas davam às suas fofocas mais peso, mais teor, do que àquelas que conseguiam chegar ao insignificante Steve. Optou por um restaurante marroquino na rue Monge — seria, também, um dia *hallal*.

A dona Delouze, conforme ela atacou na hora em que o garçom trazia nossos pratos, estava sentada numa cadeira ejetável. O Conselho Nacional das Universidades, que se reunia no início de junho, na certa nomearia Robert Rediger para substituí-la.

Olhei de relance para meu tagine de cordeiro e alcachofra antes de tentar, por via das dúvidas, franzir o cenho em surpresa. "É, eu sei", ela disse, "pode parecer loucura, mas não são só rumores, tive informações extremamente precisas."

Pedi desculpa e fui ao banheiro para consultar discretamente meu smartphone, realmente agora a gente encontra qualquer coisa na internet, uma pesquisa de apenas dois minutos me indicou que Robert Rediger era famoso por suas posições pró-palestinas, e fora um dos principais artífices do boicote às universidades israelenses; lavei cuidadosamente as mãos antes de voltar para perto de minha colega.

Meu tagine havia esfriado um pouco, era uma pena. "Eles não vão esperar as eleições para fazer isso?", perguntei depois da primeira garfada, o que me parecia uma boa pergunta.

"Eleições? Eleições, a troco de quê? O que é que isso pode mudar?" Aparentemente, minha pergunta não era tão boa assim.

"Bem, não sei, afinal de contas tem eleição presidencial daqui a três semanas..."

"Você sabe muito bem que está tudo decidido, vai ser igual a 2017, a Frente Nacional irá para o segundo turno e a esquerda será reeleita, realmente não vejo por que o CNU ia ficar enchendo o saco só para esperar as eleições."

"Mesmo assim tem o resultado da Fraternidade Muçulmana, que é uma incógnita, se ultrapassarem a barreira simbólica dos vinte por cento, isso pode pesar na relação de forças..." Essa afirmação era, claro, uma idiotice, noventa e nove por cento dos eleitores da Fraternidade Muçulmana votariam no Partido Socialista, o que não poderia de jeito nenhum mudar coisa nenhuma no resultado, mas o termo *relação de forças* sempre se impõe numa conversa, a pessoa fica parecendo leitora de Clausewitz e de Sun Tzu, e além disso eu também estava muito contente com a *barreira simbólica*; seja como for, Marie-Françoise balançou a cabeça como se eu acabasse de expressar uma ideia, e avaliou, longamente, as consequências de uma eventual entrada da Fraternidade Muçulmana no governo para a composição das instâncias dirigentes universitárias, sua inteligência combinatória se exercitava, eu de fato não escutava mais, observava o desfile das hipóteses em seu rosto anguloso e velho, é preciso se interessar por alguma coisa na vida, pensei, e me perguntava por qual coisa eu conseguiria me interessar caso minha saída da vida amorosa se confirmasse. Talvez pudesse ter aulas de enologia, ou colecionar aeromodelos.

Minha tarde de trabalho de grupo foi estafante, os doutorandos em seu conjunto eram estafantes, para eles aquilo começava a fazer algum sentido, para mim já não fazia mais nenhum, a não ser escolher o prato indiano que eu aqueceria de noite no micro-ondas (*Chicken Biryani*? *Chicken Tikka Masala*? *Chicken Rogan Josh*?) assistindo ao debate político na France 2.

Nessa noite a candidata da Frente Nacional afirmava seu amor pela França ("mas que França?", contestavam sem grande pertinência os comentaristas de centro-esquerda), e eu matutava se minha vida amorosa tinha de fato terminado, aquilo no fundo não era tão claro, durante boa parte da noite pensei em telefonar para Myriam, tinha impressão de que ela não havia me substituído, várias vezes cruzara com ela na faculdade e ela me lançara um olhar que podia ser qualificado de intenso, mas a bem da verdade ela sempre tivera um olhar intenso, mesmo quando se tratava de escolher um condicionador de cabelo, e eu não devia esquentar a cabeça, teria sido melhor se me envolvesse no plano político, os militantes das diversas agremiações viviam nesse período eleitoral momentos intensos, enquanto eu definhava, isso era incontestável.

"Felizes daqueles que se satisfazem com a vida, daqueles que se divertem, daqueles que estão contentes", é assim que Maupassant abre o artigo que escreveu sobre *À rebours* para a *Gil Blas*. A história literária em geral foi dura com a escola naturalista, e Huysmans foi incensado por ter se libertado de seu jugo. O artigo de Maupassant é, porém, bem mais profundo e sensível que o escrito por Bloy, na mesma época, em *Le chat noir*. Até as objeções de Zola, ao serem relidas, parecem um tanto sensatas; é verdade que Des Esseintes, psicologicamente, permanece o mesmo da primeira à última página, que nada acontece e não pode mesmo acontecer nesse livro, e que a ação é, em certo sentido, nula; e não é menos verdade que Huysmans não podia de jeito nenhum continuar *À rebours*, e que essa obra-prima era um impasse; mas não é esse o caso de todas as obras-primas? Huysmans já não conseguiria, depois de um livro desses, ser um naturalista, e foi sobretudo isso que Zola captou, ali onde Maupassant, mais artista, viu em primeiro lugar a obra-prima. Expus essas ideias num breve artigo para o *Journal des dix-neuvièmistes*, o que me proporcionou uma distração de alguns dias, bem superior à oferecida pela campanha eleitoral, mas não me impediu nem de longe de repensar em Myriam.

Ela deve ter sido uma encantadora goticazinha, no tempo não tão distante de sua adolescência, antes de se tornar uma moça mais para elegante, com seu cabelo preto de corte quadrado, a pele muito branca, os olhos escuros; elegante mas sobriamente sexy; e, acima de tudo, as promessas de seu erotismo discreto eram bem mais que cumpridas. Para o homem, o amor nada mais é que o reconhecimento pelo prazer dado, e nunca ninguém tinha me dado tanto prazer como Myriam. Ela conseguia contrair sua bucetinha à vontade (ora suavemente, com lentas pressões irresistíveis, ora com pequenos espasmos vivos e maliciosos); rebolava o traseiro com uma graça infinita antes de me oferecê-lo. Quanto às felações, eu nunca tinha conhecido nada de parecido, ela se aplicava a cada felação como se fosse a primeira, e como se devesse ser a última de sua vida. Cada felação dela bastaria para justificar a vida de um homem.

Acabei telefonando para ela, depois de tergiversar mais alguns dias; combinamos de nos ver na mesma noite.

A gente continua a tratar as *ex-namoradas* de modo informal, é a praxe, mas substituímos o beijo na boca pelo *beijinho*. Myriam usava uma saia curta e preta, meias-calças também pretas, eu a convidara para vir à minha casa, não tinha a menor vontade de ir a um restaurante, ela deu uma olhadela curiosa para a sala antes de se sentar no fundo do sofá, sua saia era realmente curta e ela estava maquiada, perguntei se queria beber alguma coisa, um bourbon se você tiver, ela me respondeu.

"Você mudou alguma coisa...", ela deu um gole, "mas não sei o quê."

"As cortinas." Eu tinha posto cortinas duplas laranja e ocre, com estampado vagamente étnico. Também tinha comprado um pano combinando, que jogara sobre o sofá.

Ela se virou, ajoelhando-se sobre o sofá para examinar as cortinas. "São bonitas", concluiu afinal, "muito bonitas mesmo. Mas você sempre teve bom gosto. Bem, para um machista", amenizou. Tornou a se sentar no sofá para ficar de frente para mim.

"Você não se chateia se eu digo que você é um machista?"

"Não sei, talvez seja verdade, devo ser uma espécie de machista aproximativo; na verdade nunca me convenci de que seja uma ideia tão boa assim que as mulheres possam votar, fazer os mesmos estudos que os homens, ter acesso às mesmas profissões etc. Bem, a gente se acostumou, mas, no fundo, será que é uma boa ideia?"

Ela apertou os olhos surpresa, por alguns segundos tive a impressão de que realmente se fazia a pergunta, e eu também me fazia, por um curto instante, antes de me dar conta de que não tinha resposta para essa pergunta, nem para nenhuma outra.

"Você é a favor da volta do patriarcado, é isso?"

"Eu não sou *a favor* de nada, como você bem sabe, mas o patriarcado tinha o mínimo mérito de existir. Bem, quero dizer que como sistema social ele perseverava no próprio ser, havia famílias com filhos, que grosso modo reproduziam o mesmo esquema, enfim, e funcionava; agora não há mais crianças suficientes, então, sabe como é."

"Sim, em teoria você é um machista, não há a menor dúvida. Mas tem gostos literários requintados: Mallarmé, Huysmans, é óbvio que isso o afasta do machista padrão. Acrescento a isso uma sensibilidade feminina, anormal, pelos tecidos de decoração. Em compensação, continua a se vestir como um jeca. Como personagem machão grunge, poderia ter certa credibilidade; mas você não gosta de ZZ Top, sempre preferiu Nick Drake. Em suma, é uma personalidade paradoxal."

Eu me servi de mais um bourbon antes de responder. A agressão costuma dissimular um desejo de sedução, conforme eu tinha lido em Boris Cyrulnik, e Boris Cyrulnik é da pesada, um cara com quem não se brinca, no nível psicológico é um sujeito que sabe das coisas, um Konrad Lorenz dos humanos, de certa forma. Aliás, ela afastara ligeiramente as coxas esperando minha resposta, e isso era a linguagem do corpo, estávamos no real.

"Não tem nenhum paradoxo nisso aí, é só que você usa a psicologia das revistas femininas, que não passa de uma tipologia de consumidores: a socialite ecorresponsável, a burguesa show-off, a clubber gay-friendly, o nerd violento, o techno-zen, em suma, eles inventam novos tipos toda semana. De imediato, eu não correspondo a um perfil catalogado de consumidor, só isso."

"A gente poderia… nessa noite em que a gente está se revendo, a gente poderia tentar dizer coisas mais delicadas, não acha?" Dessa vez havia em sua voz uma fratura que me constrangeu. "Está com fome?", perguntei para dissipar o mal-estar. Não, ela não estava com fome, mas afinal a gente sempre acaba comendo. "Quer uns sushis?" Claro que aceitou, as pessoas sempre aceitam quando a gente propõe sushis, tanto os gastrônomos mais exigentes quanto as mulheres mais preocupadas com a linha, há uma espécie de consenso universal em torno dessa justaposição amorfa de peixe cru e arroz branco, eu tinha o folheto de um entregador de sushis e já era cansativo ler aquilo, entre o wasabi e o maki e o salmon roll eu não entendia nada e não tinha vontade de entender o que quer que fosse, optei por um menu combinado B3 e telefonei para encomendar, talvez teria sido preferível ir ao restaurante, pensando bem, depois que desliguei pus um Nick Drake. Seguiu-se um silêncio prolongado, que eu rompi, um tanto estupidamente, perguntando-lhe como iam os estudos. Ela me lançou um olhar reprovador e disse que iam bem, que ela pensava em fazer um mestrado em edição. Com alívio consegui desviar para um assunto de ordem geral, que aliás legitimava seu plano de carreira: enquanto a economia francesa continuava a desmoronar, por setores inteiros, a edição de livros andava bem, obtinha lucros crescentes, era até surpreendente, e isso levava a crer que em seu desespero tudo o que restava às pessoas era a leitura.

"Você também não parece com uma cara de quem vai bem. Mas, para falar a verdade, essa foi sempre a impressão que eu tive de você…", ela disse sem animosidade, tristemente, até. O que eu podia responder a isso? Era difícil de contestar.

"Eu tinha um jeito tão deprimido assim?", perguntei, depois de novo silêncio.

"Não, deprimido não, mas em certo sentido é pior, sempre houve em você uma espécie de honestidade anormal, uma incapacidade para enfrentar esses compromissos que, afinal de contas, permitem às pessoas viver. Por exemplo, digamos que tenha razão sobre o patriarcado, que seja a única fórmula viável. Isso não impede que eu tenha feito estudos, que tenha sido acostumada a me considerar uma pessoa individual, dotada de uma capacidade de reflexão e de decisão iguais às do homem, então o que é que isso faz de mim, agora? Eu só sirvo para ser jogada fora?"

Provavelmente a resposta certa era "Sim", mas me calei, afinal talvez eu não fosse tão honesto assim. Os sushis custavam a chegar. Me servi de mais uma dose de bourbon, já era a terceira. Nick Drake continuava a evocar moças puras, antigas princesas. E eu continuava sem vontade de fazer um filho nela, nem de dividir as tarefas nem de comprar um baby sling. Não tinha nem vontade de trepar. Bem, tinha um pouco de vontade de trepar, mas ao mesmo tempo um pouco de vontade de morrer, já não sabia direito, em suma, começava a sentir um ligeiro enjoo, que porra o Rapid'Sushi estava fazendo, cacete? Poderia ter pedido para ela me chupar, nesse exato instante, isso talvez desse uma segunda chance ao nosso caso, mas deixei o mal-estar se instalar, crescer de segundo em segundo.

"Bem, talvez seja melhor eu ir embora...", ela disse depois de um silêncio de pelo menos três minutos. Nick Drake acabava de terminar suas lamentações, íamos passar às eructações de Nirvana, cortei o som antes de responder: "Você é quem sabe..."

"Sinto muito, realmente sinto muito que você tenha chegado a esse ponto, François", ela me disse na entrada, já tendo vestido o mantô, "eu gostaria de fazer alguma coisa, mas não vejo o que, você não me deixa nenhuma possibilidade.”

Trocamos mais um beijinho, eu não pensava que conseguiríamos superar tudo isso.

Os sushis chegaram alguns minutos depois de sua partida. Era uma quantidade enorme.

# II

Depois que Myriam foi embora, fiquei sozinho por mais de uma semana; pela primeira vez desde que tinha sido nomeado professor, senti-me até mesmo incapaz de dar meus cursos de quarta-feira. Os apogeus intelectuais de minha vida haviam sido a redação de minha tese e a publicação de meu livro; tudo isso já datava de mais de dez anos. Apogeus intelectuais? Apogeus, pura e simplesmente? Seja como for, na época eu me sentia *justificado*. Desde então eu apenas produzira artigos curtos para o *Journal des dix-neuvièmistes* e às vezes, mais raramente, para o *Magazine littéraire*, quando alguma atualidade correspondia a meu campo de especialidade. Meus artigos eram claros, incisivos, brilhantes; em geral eram apreciados, ainda mais que eu nunca atrasava as datas de entrega. Mas isso bastava para justificar uma vida? E a troco de que uma vida precisa ser justificada? A totalidade dos animais, a esmagadora maioria dos homens vive sem jamais sentir a menor necessidade de justificação. Vivem porque vivem, e mais nada, é assim que raciocinam; depois, suponho que morrem porque morrem, e que isso, a seu ver, conclui a análise. Pelo menos como especialista de Huysmans, eu me sentia obrigado a me sair um pouquinho melhor.

Quando os doutorandos me perguntam em que ordem convém tratar das obras de um autor a quem estão decididos a dedicar sua tese, sempre respondo que privilegiem a ordem cronológica. Não que a vida do autor tenha uma importância real; é mais a sucessão de seus livros que traça uma espécie de biografia intelectual, tendo sua lógica própria. No caso de Joris-Karl Huysmans, o problema se apresentava, é claro, com acuidade especial no que se refere a *À rebours*. Como é possível, quando se escreve um livro de uma originalidade tão poderosa, sem paralelos na literatura universal, como é possível continuar a escrever?

A primeira resposta que vem ao espírito é óbvia: com a dificuldade mais extrema. E é, de fato, o que se observa no caso de Huysmans. *En rade*, que se segue a *À rebours*, é um livro decepcionante, não podia ser diferente, e se a impressão negativa, a sensação de estagnação, de lenta descida das águas não extinguem por completo o prazer de leitura, é porque o autor teve essa ideia brilhante: contar, num livro fadado a ser decepcionante, a história de uma decepção. Assim, a coerência entre o tema e seu tratamento conquista a adesão estética, em suma, a gente se cansa um pouco mas continua a ler, pois sente que não são só os personagens que estão *en rade** durante sua desoladora temporada no campo, mas também o próprio Huysmans. Quase se teria a impressão de que ele tenta um retorno ao naturalismo (o naturalismo sórdido do campo, onde os camponeses se revelam ainda mais abjetos e ávidos que os parisienses), se não houvesse esses relatos oníricos que, entrecortando a narrativa, a tornam definitivamente malfeita e inclassificável.

O que, afinal, permitiu que Huysmans, a partir do romance seguinte, saísse do impasse foi uma fórmula simples, experimentada: adotar um personagem central, porta-voz do autor, cuja evolução se seguirá em vários livros. Eu tinha exposto tudo isso claramente em minha tese; minhas dificuldades haviam começado depois, porque o ponto central da evolução de Durtal (e do próprio Huysmans), desde *Là-bas*, em cujas primeiras páginas ele proferia seu adeus ao naturalismo, até *L'oblat*, passando por *En route* e *La cathédrale*, era a conversão ao catolicismo.

* *En rade*: estar enguiçado; ter sido abandonado. (N. T.)

Obviamente, não é fácil para um ateu falar de uma série de livros cujo tema principal é uma conversão; da mesma maneira, imaginamos que alguém que jamais tivesse se apaixonado, alguém para quem esse sentimento fosse totalmente alheio, certamente teria dificuldade em se interessar por um romance dedicado a uma paixão. Na falta de verdadeira adesão emocional, o sentimento que pouco a pouco se impunha ao ateu confrontado com as aventuras espirituais de Durtal, com esses movimentos alternados de retirada e irrupção da graça, que constituíam a trama dos três últimos romances de Huysmans, era, infelizmente, o tédio.

Foi nesse momento de minhas reflexões (eu acabava de acordar e tomava um café, esperando que o dia nascesse) que me veio uma ideia extremamente desagradável: assim como *À rebours* era o apogeu da vida literária de Huysmans, Myriam era sem dúvida o apogeu de minha vida amorosa. Como eu conseguiria superar a perda de minha amante? A resposta era, tudo indicava, que eu não conseguiria.

À espera da morte, me restava o *Journal des dix-neuvièmistes*, cuja próxima reunião aconteceria em menos de uma semana. Havia a campanha eleitoral, também. Muitos homens se interessam pela política e pela guerra, mas eu apreciava pouco essas fontes de diversão, sentia-me tão politizado quanto uma toalha de rosto, o que era uma pena. É verdade que, em minha juventude, as eleições não tinham o menor interesse; a mediocridade da "oferta política" era até surpreendente. Um candidato de centro-esquerda era eleito, por um ou dois mandatos, dependendo de seu carisma individual, e razões obscuras o impediam de cumprir um terceiro; depois, a população se cansava desse candidato, e de modo geral do partido de centro-esquerda. Observava-se então um fenômeno de *alternância democrática*, e os eleitores levavam ao poder um candidato de centro-direita, também por um ou dois mandatos, dependendo de sua própria natureza. Curiosamente, os países ocidentais tinham imenso orgulho desse sistema eleitoral que, no entanto, não passava da divisão do poder entre duas gangues rivais, e às vezes chegavam até a desencadear guerras a fim de impô-lo aos países que não compartilhavam de seu entusiasmo.

A progressão da extrema direita, desde então, tornara a coisa um pouco mais interessante, fazendo deslizar sobre os debates o calafrio esquecido do fascismo; mas foi só em 2017 que as coisas começaram a se mexer de verdade, antes do segundo turno da eleição presidencial. A imprensa internacional, estarrecida, assistiu a esse espetáculo vergonhoso, mas aritmeticamente inelutável, da reeleição de um presidente de esquerda num país cada vez mais abertamente de direita. Durante as poucas semanas que se seguiram ao escrutínio, um ambiente estranho, opressor, se espalhara pelo país. Era como um desespero sufocante, radical, mas perpassado aqui e ali por clarões insurrecionais. Inúmeros foram então os que optaram pelo exílio. Um mês depois dos resultados do segundo turno, Mohammed Ben Abbes anunciou a criação da Fraternidade Muçulmana. Uma primeira tentativa de islã político, o Partido dos Muçulmanos da França, fora rapidamente abortada devido ao antissemitismo constrangedor de seu líder, que até o levara a tecer laços com a extrema direita. Tirando as lições desse fracasso, a Fraternidade Muçulmana ficara atenta em conservar uma postura moderada, só apoiava a causa palestina com moderação e mantinha relações cordiais com as autoridades religiosas judaicas. A partir do modelo dos partidos muçulmanos operando nos países árabes, modelo aliás usado antes na França pelo Partido Comunista, a ação política propriamente dita era propagada por uma densa rede de movimentos de juventude, estabelecimentos culturais e associações de caridade. Num país em que a miséria de massa continuava indiscutivelmente, ano após ano, a se espalhar, essa política de rede dera frutos, e permitiu à Fraternidade Muçulmana ampliar sua audiência bem além da moldura estritamente confessional, e o sucesso foi até mesmo fulgurante: nas últimas pesquisas, esse partido, que tinha apenas cinco anos de vida, atingira vinte e um por cento das intenções de voto, empatando assim com o Partido Socialista, com vinte e três por cento. Quanto à direita tradicional, ela chegara a seu teto, catorze por cento, e a Frente Nacional, com trinta e dois por cento, permanecia de longe o primeiro partido francês.

David Pujadas, fazia alguns anos, se tornara um ícone. Ele não só entrara para o "clube fechadíssimo" dos jornalistas políticos (Cotta, Elkabbach, Duhamel e alguns outros) que na história dos meios de comunicação tinham sido considerados de nível suficiente para arbitrar um debate presidencial entre os dois turnos, como superara todos os seus predecessores por sua firmeza cortês, sua calma, e sobretudo sua aptidão para ignorar os insultos, focando os embates que partiam para todo lado, dando-lhes de novo a aparência de um confronto digno e democrático. A candidata da Frente Nacional, assim como o da Fraternidade Muçulmana, o aceitaram para arbitrar o debate entre eles, certamente o mais esperado de todos os que precediam o primeiro turno, porque se o candidato da Fraternidade Muçulmana, em avanço constante nas pesquisas desde que entrara na campanha, conseguisse ultrapassar o do Partido Socialista, teríamos que partir para um segundo turno absolutamente inédito, e com um resultado muito incerto. Os simpatizantes de esquerda, apesar dos repetidos apelos, em tom cada vez mais intimidador, feitos por seus jornais e suas revistas de referência, permaneciam reticentes a despejar seus votos num candidato muçulmano; os simpatizantes de direita, cada vez mais numerosos, pareciam, apesar das proclamações muito firmes de seus dirigentes, prontos para cruzar a barreira e votar no segundo turno pela candidata "nacional". Portanto, esta jogava uma partida muito importante — a mais importante partida de sua vida, sem dúvida nenhuma.

O debate ocorreu numa quarta-feira, o que não me facilitava as coisas; na véspera, eu tinha comprado uma seleção de pratos indianos micro-ondáveis e três garrafas de vinho tinto comum. Massas de ar anticiclônico haviam se instalado de forma duradoura da Hungria à Polônia, impedindo que a depressão centrada sobre as Ilhas Britânicas avançasse para o Sul; no bloco da Europa continental o tempo continuava excepcionalmente frio e seco. Meus doutorandos tinham me enchido o saco durante o dia com perguntas inúteis, do gênero por que os poetas menores (Moréas Corbière etc.) eram considerados menores, e o que os impedia de serem considerados maiores (Baudelaire Rimbaud Mallarmé para ir depressa; depois a gente pula para Breton). As perguntas deles não eram descompromissadas, longe disso, eram dois doutorandos magros e maliciosos, sendo que um tinha vontade de fazer uma tese sobre Cros, o outro sobre Corbière, mas ao mesmo tempo não queriam se queimar, eu via muito bem, e espreitavam minha resposta de representante da instituição. Chutando para escanteio, recomendei a eles Laforgue, de estatuto intermediário.

Durante o debate propriamente dito eu me dei mal, bem, foi sobretudo meu micro-ondas que se deu mal, pois inaugurou um funcionamento novo (girar a toda a velocidade, emitindo um som quase subsônico, sem por isso aquecer os alimentos), o que fez com que eu tivesse de terminar minhas especialidades indianas na frigideira, e perdesse grande parte dos argumentos trocados. Mas, pelo que consegui acompanhar, as coisas se passaram com uma correção quase exagerada, os dois candidatos à magistratura suprema multiplicavam os sinais de deferência mútuos, expressavam um após o outro um imenso amor pela França, e davam a impressão de estar mais ou menos de acordo a respeito de tudo. No entanto, ao mesmo tempo pipocavam em Montfermeil confrontos entre militantes de extrema direita e um grupo de jovens africanos, que não se diziam de nenhuma corrente política — uma semana antes incidentes mais esporádicos tinham acontecido naquela área, depois da profanação de uma mesquista. Um site identitário da internet afirmaria no dia seguinte que os enfrentamentos foram muito violentos e que se contavam vários mortos — mas o Ministério do Interior logo desmentiria a informação. Como sempre, a presidente da Frente Nacional e o da Fraternidade Muçulmana divulgaram, cada um de seu lado, um comunicado em que repudiavam vigorosamente esses atos criminosos. Dois anos antes, a imprensa fizera algumas reportagens chocantes, quando se produziram os primeiros confrontos armados, mas agora se falava deles cada vez menos, tudo isso parecia ter se tornado banal. Anos a fio, e talvez até por várias dezenas de anos, o *Le Monde*, assim como em geral todos os jornais de centro-esquerda, isto é, na verdade todos os jornais, tinham regularmente denunciado as "Cassandras" que previam uma guerra civil entre os imigrantes muçulmanos e as populações autóctones da Europa ocidental. Como me explicara um colega que ensinava literatura grega, esse uso do mito de Cassandra era, no fundo, curioso. Na mitologia grega, Cassandra se apresenta primeiro como uma moça muito bonita, "semelhante a uma Afrodite de ouro", escreve Homero. Apaixonando-se por ela, Apolo lhe confere o dom da profecia em troca de seus futuros folguedos amorosos. Cassandra aceita o dom mas recusa o Deus, que, furioso, cospe em sua boca, o que fará com que nunca mais alguém a compreenda ou acredite nela. Assim ela prevê, sucessivamente, o rapto de Helena por Páris, depois o estouro da Guerra de Troia, e adverte seus compatriotas troianos do subterfúgio grego (o famoso "cavalo de Troia") que lhes permitiu conquistar a cidade. Terminará assassinada por Clitemnestra, não sem ter previsto seu assassínio, bem como o de Agamêmnon, que se recusara a acreditar nela. Em suma, Cassandra oferecia o exemplo de previsões pessimistas constantemente realizadas, e na verdade parecia, à luz dos fatos, que os jornalistas de centro-esquerda apenas repetiam a cegueira dos troianos. Tal cegueira nada tinha de historicamente inédita: podia-se encontrar a mesma entre os intelectuais, políticos e jornalistas dos anos 1930, unanimemente convencidos de que Hitler "acabaria por recobrar a razão". Talvez seja impossível, para pessoas que viveram e prosperaram em determinado sistema social, imaginar o ponto de vista dos que, nunca tendo tido nada a esperar desse sistema, encaram sua destruição sem nenhum terror especial.

Mas, a bem da verdade, fazia alguns meses que a atitude dos meios de comunicação de centro-esquerda mudara: a violência nos subúrbios, os conflitos étnicos, ninguém mais falava disso, o problema era simplesmente silenciado, e até pararam de denunciar as "Cassandras" que, por sua vez, acabaram se calando. As pessoas em geral pareciam ter se cansado de ouvir falar do assunto; e, no meio que eu frequentava, o cansaço interviera mais cedo que em todos os outros lugares; aconteceria "o que deveria acontecer", era assim que podia ser resumido o sentimento geral. E na noite seguinte, quando fui ao coquetel trimestral do *Journal des dix-neuvièmistes*, já sabia que os confrontos de Montfermeil provocariam poucos comentários, não mais que os últimos debates que precediam o primeiro turno da eleição presidencial, e muito menos que as recentes nomeações universitárias. O coquetel era na rue Chaptal, no Museu da Vida Romântica, alugado para essa ocasião.

Eu sempre gostei da place Saint-Georges, de suas fachadas deliciosamente Belle Époque, e parei uns instantes diante do busto de Gavarni antes de subir a rue Notre-Dame-de-Lorette, e depois a rue Chaptal. No número 16 abria-se uma pequena alameda de paralelepípedos, margeada de árvores, levando ao museu.

A temperatura estava amena, e as portas duplas tinham sido abertas para o jardim. Peguei uma taça de champanhe antes de perambular entre as tílias e logo avistei Alice, professora adjunta na universidade de Lyon III, especialista em Nerval; seu vestido de tecido leve estampado de flores vivas era provavelmente o que se chama de vestido de coquetel; para falar a verdade as diferenças entre vestido de coquetel e vestido de festa me escapavam um pouco, mas eu tinha certeza de que em todas as circunstâncias Alice estaria com o vestido apropriado, e sua companhia era muito repousante, portanto não hesitei em cumprimentá-la embora ela estivesse conversando com um sujeito jovem de rosto anguloso, pele muito branca, trajando um blazer azul sobre uma camiseta do Paris Saint-Germain, calçando um tênis vermelho-vivo, num conjunto estranhamente muito elegante; ele se apresentou a mim com o nome de Godefroy Lempereur.

"Sou um de seus novos colegas...", disse, virando-se para mim, e observei que tomava um uísque sem gelo. "Acabo de ser nomeado para Paris III."

"Sim, soube de sua nomeação, você é especialista em Bloy, não é?"

"François sempre detestou Bloy", Alice interveio com leveza. "Bem, como especialista em Huysmans ele é de outra seara, evidentemente."

Lempereur se virou para o meu lado, sorrindo com uma cordialidade surpreendente, e disse de chofre: "Eu o conheço, é claro... Admiro enormemente seu trabalho sobre Huysmans" e depois fez um instante de silêncio, buscando as palavras, sem deixar de me olhar intensamente, seu olhar era tão intenso que pensei que devia estar maquiado, ou pelo menos acentuara os cílios com um toque de rímel, e nesse instante tive a impressão de que ia me dizer coisas importantes. Alice lançava sobre nós esse olhar a um só tempo afetuoso e levemente gozador das mulheres que seguem uma conversa entre homens, essa coisa curiosa que sempre parece hesitar entre a pederastia e o duelo. Uma brisa bem forte balançou, acima de nós, a folhagem das tílias. Nesse instante ouvi muito longe, muito vago, um ruído surdo que lembrava uma explosão.

"É curioso", disse enfim Lempereur, "como ficamos próximos dos autores a quem nos dedicamos no início da vida. Poderíamos acreditar, depois de um ou dois séculos, que as paixões se extinguem, que como professores universitários alcançamos uma espécie de objetividade literária etc. Pois bem, não é nada disso. Huysmans, Zola, Barbey, Bloy, todos eles se conheceram, tiveram relações de amizade ou de ódio, se aliaram, brigaram, a história das relações deles é a da própria literatura francesa; e nós, a mais de um século de distância, reproduzimos essas mesmas relações, permanecemos fiéis para sempre ao campeão que foi o nosso, continuamos dispostos, por ele, a nos amar, a nos chatear, a brigar com artigos opostos."

"Tem razão, mas isso é bom. Prova ao menos que a literatura é um assunto sério."

"Nunca ninguém se chateou pelo pobre Nerval...", interveio Alice, mas Lempereur nem sequer a ouviu, creio. Continuava a me encarar com intensidade, como que tragado por seu próprio discurso.

"Você sempre foi alguém sério", recomeçou, "li todos os seus artigos no *Journal*. Não é propriamente o meu caso. Eu era fascinado por Bloy quando tinha vinte anos, fascinado por sua intransigência, sua violência, seu virtuosismo no desprezo e no insulto; mas também era, muito, um fenômeno de moda. Bloy era a arma absoluta contra o século XX e sua mediocridade, sua besteira engajada, seu humanitarismo pegajoso; contra Sartre, contra Camus, contra todos os bufões do engajamento; contra todos esses formalistas nauseativos também, o *nouveau roman*, todos esses absurdos inconsequentes. Bem, agora tenho vinte e cinco anos; continuo não gostando de Sartre, nem de Camus, nem do que quer que seja que se aparente ao *nouveau roman*; mas o virtuosismo de Bloy se tornou difícil para mim, e devo reconhecer que a dimensão espiritual e sagrada com que ele se delicia já não me diz praticamente nada. Agora sinto mais prazer em reler Maupassant ou Flaubert — e até Zola, bem, certas páginas. E também, é claro, o curiosíssimo Huysmans..."

Ele tinha um jeito de *intelectual de direita* muito sedutor, pensei, isso lhe daria uma certa singularidade na faculdade. Podemos deixar as pessoas falarem bastante tempo, elas estão sempre interessadas no próprio discurso, mas, ainda assim, de vez em quando convém interferir, um mínimo que seja. Dei uma olhada sem ilusões para Alice, sabia que esse período não a interessava nem um pouco, ela era *Frühromantik* ao extremo. Por pouco não perguntei a Lempereur: "Você está mais para carola, fascistoide, ou é uma mistura dos dois?", antes de me recompor, decididamente eu tinha perdido o contato com os intelectuais de direita, já não fazia a menor ideia de como lidar com eles. Bem distante, ouviu-se de repente uma espécie de estouro prolongado. "O que vocês acham que é isso?", perguntou Alice. "Está parecendo tiros...", acrescentou num tom hesitante. Logo nos calamos, e me dei conta de que todas as conversas no jardim tinham silenciado, percebia-se de novo o sussurro do vento nas folhas, e passos discretos sobre o cascalho, vários convidados deixavam a sala onde acontecia o coquetel e avançavam devagarinho entre as árvores, na expectativa. Dois professores da universidade de Montpellier passaram perto de mim, ligaram seus smartphones e os seguravam de modo estranho, com a tela na horizontal, como uma varinha de condão. "Não há nada...", suspirou um deles, angustiado, "continuam a falar do G-20." Se imaginavam que os canais de notícias iam cobrir o acontecimento, estavam muito enganados, pensei, hoje, tanto quanto ontem em Montfermeil, o silêncio era total.

"É a primeira vez que a coisa estoura em Paris", observou Lempereur em tom neutro. No mesmo instante houve novo barulho de tiroteio, dessa vez muito nítido, e parecia perto, depois uma explosão muito mais forte. Todos os convidados logo se viraram naquela direção. Uma coluna de fumaça subia no céu acima dos prédios; devia vir mais ou menos da place de Clichy.

"Bem, acho que nossa *festinha* vai ter um fim prematuro...", disse Alice com graça. Na verdade, muitos convidados tentavam telefonar; e alguns começavam a se deslocar para a saída, mas lentamente, por intervalos, como para mostrar que continuavam donos de si, que não cediam de jeito nenhum a um movimento de pânico.

"Podemos continuar a conversa na minha casa, se quiserem", propôs Lempereur. "Moro na rue du Cardinal Mercier, fica a dois passos daqui."

"Tenho meu curso amanhã em Lyon, pego o TGV às seis horas", disse Alice, "acho que vou para casa."

"Tem certeza?"

"Tenho. É curioso, não sinto o menor medo."

Olhei para ela, me perguntando se devia insistir, mas curiosamente eu também não sentia medo, sem muita razão estava convencido de que os confrontos parariam no bulevar de Clichy.

A Twingo de Alice estava estacionada na esquina da rue Blanche. "Não sei se é muito prudente o que você está fazendo", eu disse depois de lhe dar um beijo. "De qualquer maneira, me telefone quando chegar em casa." Ela assentiu, antes de ligar o carro. "É uma mulher extraordinária...", disse Lempereur. Concordei, pensando que no fundo eu sabia muito pouco sobre Alice. Junto com as distinções honoríficas e as etapas da carreira, as indiscrições sexuais eram mais ou menos nosso único assunto de conversa entre colegas; e sobre ela eu nunca tinha ouvido o menor boato. Era inteligente, elegante, bonita — que idade poderia ter? Mais ou menos a mesma que eu, entre quarenta e quarenta e cinco anos — e, segundo as aparências, vivia sozinha. Pensando bem, ainda era um pouco cedo para desistir, conjecturei antes de me lembrar que, na véspera, eu considerava a mesma perspectiva. "Extraordinária!", apoiei, tentando expulsar essa ideia de meu espírito.

O tiroteio parou. Pegando a rue Ballu, deserta a essa hora, nos encontrávamos na mesma época de nossos escritores preferidos, observei a Lempereur; quase todos os prédios, notavelmente conservados, datavam do Segundo Império ou do início da Terceira República. "É verdade, até mesmo as terças-feiras de Mallarmé aconteceram bem pertinho daqui, na rue de Rome...", ele respondeu. "E você, onde mora?"

"Na avenue de Choisy. Totalmente anos 1970. Uma época menos notável no plano literário, é óbvio."

"O lugar que chamam de *Chinatown*?

"Exatamente. Estou em plena Chinatown."

"Pode se mostrar uma escolha inteligente", ele disse pensativo, depois de uma longa reflexão. No mesmo instante, chegamos à esquina da rue de Clichy. Parei, estupefato. Uns cem metros ao norte, a place de Clichy estava completamente tomada pelas chamas; distinguiam-se carcaças de carros e a de um ônibus, carbonizadas; a estátua do marechal Moncey, imponente e negra, se destacava no meio do incêndio. Não havia ninguém à vista. O silêncio invadira a cena, unicamente perturbado pelo uivo repetitivo de uma sirene.

"Você conhece a carreira do marechal Moncey?"

"Nem um pouco."

"Era um soldado de Napoleão. Tornou-se famoso ao defender a barreira de Clichy contra os invasores russos em 1814. Se os enfrentamentos étnicos tivessem de se estender por Paris intramuros", prosseguiu Lempereur no mesmo tom, "a comunidade chinesa ficaria de fora. Chinatown poderia se tornar um dos únicos bairros de Paris perfeitamente seguros."

"Acha que é possível?"

Ele deu de ombros, sem responder. Nesse momento avistei, estarrecido, dois policiais, metralhadora a tiracolo, usando proteções de kevlar e descendo tranquilamente a rue de Clichy na direção da gare Saint-Lazare. Conversavam animados e não nos dirigiram sequer um olhar.

"Eles estão...", eu estava tão apavorado que custava a falar, "eles fazem como se absolutamente nada tivesse acontecido."

"É..." Lempereur parou, coçando o queixo, pensativo. "Está vendo, é muito difícil dizer neste momento o que é, ou não, possível. Se alguém vier nos afirmar o contrário, será um imbecil ou um mentiroso; ninguém, a meu ver, pode pretender saber o que acontecerá nas próximas semanas. Bem...", retomou depois de nova reflexão, "agora estamos pertinho de minha casa. Espero que corra tudo bem com a sua amiga..."

A rue du Cardinal Mercier, silenciosa e deserta, terminava num beco onde havia uma fonte cercada de colunatas. De cada lado, pórticos sólidos tendo ao alto câmeras de vigilância davam para pátios arborizados. Lempereur apertou o dedo indicador numa plaquinha de alumínio, que devia ser um dispositivo de identificação biométrica; uma grade metálica logo se levantou diante de nós. No fundo do pátio, semiescondido por plátanos, percebi um palacetezinho, luxuoso e elegante, tipicamente Segundo Império. Eu me perguntei: com toda certeza não era seu salário de professor adjunto de nível um que lhe permitia morar num lugar daqueles; então, o que seria?

Não sei por que eu imaginava meu jovem colega vivendo num cenário minimalista, depurado, com muito branco. Ao contrário, o mobiliário combinava perfeitamente com o estilo do prédio: o salão, forrado de seda e veludo, estava repleto de poltronas confortáveis, mesinhas com enfeites de marchetaria e madrepérola; um imenso quadro de estilo *pompier*, que provavelmente era um Bouguereau autêntico, reinava acima de uma lareira muito trabalhada. Sentei-me numa otomana estofada de tecido canelado verde-garrafa, antes de aceitar uma aguardente de pera.

"Podemos tentar saber o que está acontecendo, se quiser", ele me propôs ao me servir.

"Não, sei perfeitamente que não haverá nada nos canais de notícias. Na CNN talvez, se você tiver uma parabólica."

"Tentei nestes últimos dias; nada na CNN, também nada no YouTube, mas isso eu esperava. No RuTube às vezes passam algumas imagens, gente que filma com o celular; mas é muito aleatório, e nesse caso não encontrei nada."

"Não entendo por que resolveram fazer um silêncio total; não entendo o que este governo está querendo."

"Aí, a meu ver, está claro: realmente estão com medo de que a Frente Nacional ganhe as eleições. E qualquer imagem de violência urbana são votos a mais para a Frente Nacional. Agora é a extrema direita que tenta fazer a pressão subir. Evidentemente, nos subúrbios os caras reagem de imediato, a qualquer coisa; mas se você olhar bem, toda vez que a coisa saiu de controle nestes últimos meses, havia no início uma provocação anti-islã: uma mesquita profanada, uma mulher obrigada, sob ameaça, a tirar o *niqab,* em suma, coisas desse gênero."

"E você acha que é a Frente Nacional que está por trás disso?"

"Não. Não, eles não podem se permitir isso. Não é assim que a coisa acontece. Digamos... digamos que há caminhos alternativos."

Terminou sua bebida, nos serviu de novo e se calou. O Bouguereau no alto da lareira representava cinco mulheres num jardim — umas vestidas de túnicas brancas, outras quase nuas — cercando uma criança nua, de cabelos cacheados. Uma das mulheres nuas escondia os seios com as mãos; a outra não podia, pois segurava um ramo de flores do campo. Tinha seios bonitos, e o artista reproduzira perfeitamente seus drapeados. Aquilo datava de um pouco mais de um século e me parecia tão distante que a primeira reação era ficar confuso diante daquele objeto incompreensível. Lentamente, progressivamente, era possível tentar se pôr na pele de um dos burgueses do século XIX, de um dos sujeitos ilustres de sobrecasaca para quem fora pintado o quadro; era possível, como eles, sentir as primícias de uma emoção erótica diante daquelas nudezas gregas; mas era uma laboriosa, difícil escalada no tempo. Maupassant, Zola e até Huysmans eram de um acesso muito mais imediato. Provavelmente eu deveria ter falado disso, desse estranho poder da literatura, mas decidi continuar a falar de política, queria saber mais e ele parecia saber mais sobre o assunto, bem, ao menos era a impressão que dava.

"Você circulou pelos movimentos identitários, me parece?", meu tom fora perfeito, de homem mundano interessado, curioso, sem mais, uma neutralidade benevolente com uma pitada de elegância. Ele sorriu abertamente, sem reservas.

"Sim, sei que o boato se espalhou na faculdade... De fato, pertenci a um movimento identitário, há alguns anos, quando preparava minha tese. Eram identitários católicos, no mais das vezes realistas, nostálgicos, no fundo românticos — alcoólatras também, quase sempre. Mas tudo isso mudou completamente, perdi o contato, e acho que se eu fosse a uma reunião não reconheceria mais nada."

Me calei metodicamente: quando nos calamos metodicamente, fitando as pessoas direto nos olhos, dando-lhes a impressão de beber suas palavras, elas falam. Gostam de ser ouvidas, todos os investigadores sabem disso; todos os investigadores, todos os escritores, todos os espiões.

"Veja bem...", ele recomeçou, "o Bloco Identitário era, na verdade, tudo menos um bloco, estava dividido em múltiplas facções que se compreendiam e se entendiam mal: católicos, solidaristas aparentados à 'Terceira via', monarquistas, neopagãos, laicos de corpo e alma vindos da extrema esquerda... Mas tudo mudou na hora da criação dos 'Indígenas Europeus'. No início, eles se inspiraram nos 'Indígenas da República', pegando exatamente a direção contrária, e conseguiram transmitir uma mensagem clara e de federação: somos os indígenas da Europa, os primeiros ocupantes desta terra, e recusamos a colonização muçulmana; recusamos também as empresas americanas e a compra de nosso patrimônio pelos novos capitalistas vindos da Índia, da China etc. Citavam Jerônimo, Cochise, Touro Sentado etc; o que era um bocado engenhoso; e, melhor ainda, o site deles na internet era graficamente muito inovador, com animações incríveis, uma música animada, e isso lhes atraiu um público novo, um público de jovens."

"Você acha realmente que eles querem detonar uma guerra civil?"

"Quanto a isso não há a menor dúvida. Vou lhe mostrar um texto que apareceu na web..."

Levantou-se e passou para a sala ao lado. Desde que tínhamos entrado no salão, os ruídos dos tiros pareciam ter parado — mas eu não tinha certeza de que daria para ouvi-los da casa dele, pois o beco era extremamente calmo.

Voltou e me entregou umas dez folhas grampeadas, impressas em pequenos caracteres; o documento tinha, de fato, um título bem claro: PREPARAR A GUERRA CIVIL.

"Bem, há muitos do mesmo tipo, mas este é um dos mais sintéticos, com as estatísticas mais confiáveis. Há um monte de números, porque examinam o caso de vinte e dois países da União Europeia, mas em todos as conclusões são as mesmas. Para resumir a tese deles, a transcendência é uma vantagem seletiva: os casais que se reconhecem numa das três religiões do Livro Sagrado, entre os quais os valores patriarcais se mantiveram, têm mais filhos que os casais ateus ou agnósticos; as mulheres são menos educadas, o hedonismo e o individualismo são menos enraizados. Por outro lado, a transcendência é, em grande parte, uma característica geneticamente transmissível: as conversões, ou a rejeição dos valores familiares, têm apenas importância marginal; na imensa maioria dos casos, as pessoas permanecem fiéis ao sistema metafísico em que foram criadas. O humanismo ateu, sobre o qual repousa o 'viver juntos' laico, está, portanto, condenado a curto prazo, e a percentagem da população monoteísta está fadada a aumentar rapidamente. É este, em especial, o caso da população muçulmana — sem nem sequer levar em conta a imigração, que acentuará ainda mais o fenômeno. Para os identitários europeus, está fora de questão que entre os muçulmanos e o resto da população deverá necessariamente, mais cedo ou mais tarde, estourar uma guerra civil. Daí concluem que, se querem ter uma chance de ganhar essa guerra, é melhor que ela estoure o quanto antes — em qualquer hipótese, antes de 2050, de preferência bem antes disso."

"Isso me parece lógico..."

"Sim, no plano político e militar é claro que eles têm razão. Resta saber se eles decidiram passar à ação agora — e em que países. A rejeição aos muçulmanos é mais ou menos igualmente forte em todos os países europeus; mas a França é um caso absolutamente peculiar, devido às suas Forças Armadas. As Forças Armadas francesas continuam a ser uma das primeiras do mundo, e essa opção foi mantida, apesar das restrições orçamentárias, por todos os sucessivos governos; o que faz com que nenhum movimento insurrecional possa esperar ter peso se o governo de fato se decidir pela intervenção das Forças Armadas. Portanto, a estratégia é, necessariamente, diferente."

"Ou seja?"

"As carreiras militares são curtas. Atualmente, as Forças Armadas francesas — o Exército, a Marinha e a

Aeronáutica juntos — somam um efetivo de trezentos e trinta mil homens, se incluirmos a Gendarmeria. O recrutamento anual é mais ou menos de vinte mil pessoas; isso quer dizer que em um pouco mais de quinze anos o conjunto dos efetivos das Forças Armadas francesas será completamente renovado. Se os jovens militantes identitários — e são, quase todos, jovens — se inscrevessem maciçamente nos concursos de recrutamento das Forças Armadas, poderiam assumir seu controle ideológico em prazo relativamente curto. É a linha defendida, desde o início, pelo ramo político do movimento; e foi isso que provocou, há dois anos, o rompimento com o ramo militar, partidário da passagem imediata à luta armada. Penso que o ramo político manterá o controle, e que o ramo militar só atrairá uns poucos marginais vindos da delinquência, e fascinados pelas armas; mas a situação poderia ser diferente em outros países, em especial na Escandinávia. A ideologia multiculturalista ainda é bem mais opressora na Escandinávia do que na França, os militares identitários são numerosos e aguerridos; e, do outro lado, o Exército só tem efetivos insignificantes, talvez fossem incapazes de enfrentar levantes sérios. Sim, caso uma insurreição geral estoure proximamente na Europa, talvez venha da Noruega ou da Dinamarca; a Bélgica e a Holanda também são zonas potencialmente muito instáveis."

Por volta das duas da manhã tudo parecia calmo, e encontrei facilmente um táxi. Cumprimentei Lempereur pela qualidade da aguardente de pera — tínhamos praticamente esvaziado a garrafa. É claro que, como todo mundo, fazia anos, e até dezenas de anos, que eu ouvia falar nesses temas. A expressão "Depois de mim o dilúvio" é atribuída ora a Luís xv, ora à sua amante, Madame de Pompadour. Ela resumia bastante bem meu estado de espírito, mas era a primeira vez que uma ideia inquietante me cruzava o espírito: o dilúvio, afinal de contas, poderia muito bem se produzir antes de meu próprio falecimento. Evidentemente, eu não esperava ter um fim de vida feliz, não havia a menor razão para que fosse poupado do luto, da doença e do sofrimento; mas até então eu podia esperar deixar este mundo sem violência exagerada.

Seria ele alarmista demais? Infelizmente eu não acreditava nisso; aquele rapaz me deixara uma profunda impressão de seriedade. Na manhã seguinte fiz uma pesquisa no RuTube, mas não havia nada a respeito da place de Clichy. Caí apenas num vídeo um tanto assustador, embora não comportasse nenhum elemento violento: uns quinze caras inteiramente vestidos de preto, mascarados, encapuzados, armados de metralhadoras, tinham se colocado numa formação em V e avançavam lentamente no meio de um cenário urbano que evocava a dalle d'Argenteuil. Com toda certeza não era um vídeo filmado com um celular: a resolução era excelente e tinham acrescentado um efeito de câmera lenta. Esse vídeo estático, imponente, filmado ligeiramente de baixo para cima, não tinha outro objetivo senão afirmar uma presença, o controle sobre um território. Em caso de conflito étnico, eu estaria, automaticamente, alinhado no campo dos brancos, e pela primeira vez, quando saí para fazer minhas compras, dei graças aos chineses por terem sabido, desde as origens do bairro, evitar qualquer instalação de negros ou árabes — e aliás, mais genericamente, qualquer instalação de não chineses, exceto de alguns vietnamitas.

Seja como for, era mais prudente considerar uma posição de retaguarda, caso as coisas viessem a degenerar depressa. Meu pai morava num chalé no maciço dos Écrins, e não fazia muito tempo (quer dizer, pelo menos não fazia muito tempo que eu sabia) que encontrara uma nova companheira. Minha mãe se deprimia em Nevers, e não tinha outra companhia além de seu buldogue francês. Fazia uns dez anos que eu não tinha notícias deles.

Os dois baby-boomers sempre deram demonstrações de um egoísmo implacável, e nada me levava a crer que me acolheriam de bom grado. A questão de saber se eu tornaria a ver meus pais antes de morrerem às vezes me cruzava o espírito, mas a resposta era sempre negativa, e eu nem sequer acreditava que uma guerra civil conseguisse melhorar as coisas, pois encontrariam um pretexto para se negarem a me hospedar; sobre essa questão, nunca lhes faltaram desculpas. E eu tinha amigos, vários, bem, para falar a verdade, nem tantos, e perdi um pouco o contato com eles; havia Alice, sem dúvida eu podia considerar Alice como uma amiga. No conjunto, desde minha separação de Myriam, estava extremamente só.

*Domingo, 15 de maio.*

Sempre gostei das noites de eleição presidencial; acho até que, tirando as finais da Copa do Mundo, eram meu programa de tevê preferido. O suspense, evidentemente, era menos forte, pois as eleições obedeciam a esse dispositivo narrativo singular de uma história cujo desfecho é conhecido desde o primeiro minuto; mas a extrema diversidade das intervenções (cientistas políticos, editorialistas políticos "de destaque", massas de militantes em júbilo ou em lágrimas na sede dos partidos..., os políticos, enfim, suas declarações no calor da hora, refletidas ou emocionais) e a excitação geral dos participantes davam de fato essa impressão tão rara, tão preciosa, tão telegênica, de viver um momento histórico ao vivo.

Escaldado pelo debate anterior, que meu micro-ondas praticamente me impediu de acompanhar, dessa vez eu tinha comprado tarama, homus, blinis e ovas de peixe; na véspera pus na geladeira duas garrafas de Rully. Desde que David Pujadas entrou no ar, às 19h50, compreendi que o especial eleições se anunciava como uma safra excelente, e que eu ia viver um momento excepcional da televisão. Pujadas mantinha-se, é claro, muito profissional, mas pelo brilho de seu olhar não era possível se enganar: os resultados que ele já conhecia, que teria direito de anunciar dali a dez minutos, eram uma enorme surpresa; a paisagem política francesa ia virar de cabeça para baixo.

"É um terremoto", ele anunciou de cara, quando apareceram os primeiros números. A Frente Nacional chegava amplamente na dianteira, com 34,1% dos votos válidos; isso era quase normal, era o que todas as pesquisas anunciavam havia meses, a candidata da extrema direita apenas progredira ligeiramente nas últimas semanas de campanha. Mas atrás dela o candidato do Partido Socialista, com 21,8%, e o da Fraternidade Muçulmana, com 21,7%, estavam empatados, separados por tão poucos votos que a situação podia oscilar, provavelmente ia mesmo oscilar várias vezes durante a apuração, à medida que fossem computados os resultados das urnas das grandes cidades e de Paris. Com 12,1% dos votos, o candidato da direita estava definitivamente fora do páreo.

Jean-François Copé só apareceu na telinha às 21h50. Lívido, barba malfeita, a gravata torta, dava mais que nunca a impressão de ter sido posto em detenção provisória durante aquelas últimas horas. Com dolorosa humildade admitiu que se tratava de um revés, de um grave revés, cuja inteira responsabilidade ele assumia; no entanto, não chegaria ao ponto, como Lionel Jospin em 2002, de considerar uma aposentadoria da vida política. Quanto às recomendações de voto para o segundo turno, não dava nenhuma: o diretório político da UMP se reuniria durante a semana para tomar uma decisão.

Às 22h os dois candidatos continuavam empatados, e os últimos números davam estimativas absolutamente idênticas — essa incerteza evitava que o candidato socialista fizesse uma declaração que se pressentia difícil. Os dois partidos que estruturaram a vida política francesa desde o início da Quinta República seriam varridos de cena? A hipótese era tão espantosa que parecia que os comentaristas que se sucediam às pressas no estúdio — e até David Pujadas, que no entanto era pouco suspeito de condescendência com o islã, e famoso por ser próximo de Manuel Valls — nutriam secretamente esse desejo. Indo de um canal a outro com tamanha celeridade que parecia gozar do dom de ubiquidade, conseguindo até altas horas da noite deslumbrantes movimentos de echarpe, Christophe Barbier foi incontestavelmente um dos reis desse especial eleições, eclipsando com facilidade Renaud Dély, apagado e sombrio diante de um resultado que sua revista não previra, e até mesmo Yves Thréard, em geral mais combativo.

Foi só um pouco depois da meia-noite, na hora em que eu terminava minha segunda garrafa de Rully, que anunciaram os resultados definitivos: Mohammed Ben Abbes, candidato da Fraternidade Muçulmana, chegava em segundo lugar, com 22,3% dos votos. Com 21,9%, o candidato socialista estava eliminado. Manuel Valls fez uma curta declaração, muito sóbria, em que saudou os dois candidatos que chegaram à frente, e adiou qualquer decisão até a reunião do comitê diretor do Partido Socialista.

*Quarta-feira, 18 de maio.*

Quando voltei à faculdade para dar minhas aulas, tive pela primeira vez a sensação de que alguma coisa podia acontecer; de que o sistema político em que, desde a minha infância, eu estava acostumado a viver, e que havia muito tempo visivelmente se fraturava, podia explodir de uma só vez. Não sei exatamente o que me deu essa impressão. Talvez a atitude de meus alunos de último ano: por mais amorfos e despolitizados que fossem, pareciam naquele dia tensos, ansiosos, tentavam a olhos vistos captar fiapos de informações em seus smartphones e tablets; em todo caso, estavam mais do que nunca desatentos à minha aula. Talvez também o andar das moças de burca, mais seguro e mais lento que de costume, pois vinham andando abertamente, em grupinhos de três, pelos corredores, sem ir se esgueirando pelas paredes, como se já fossem donas do terreno.

Em compensação, eu estava impressionado com a apatia de meus colegas. Para eles não parecia haver nenhum problema, não se sentiam nem um pouco atingidos, o que apenas confirmava o que eu pensava havia anos: os que chegam a um estatuto de professor universitário não imaginam nem de longe que uma evolução política possa ter a menor consequência em sua carreira; sentem-se absolutamente intocáveis.

No final do dia avistei Marie-Françoise, quando eu virava a esquina da rue de Santeuil indo em direção ao metrô. Apressei-me, quase corri para alcançá-la, e, chegando a seu lado, depois de um rápido boa-tarde fiz uma pergunta direta: "Você acredita que nossos colegas têm razão de estarem tão calmos? Acredita que estamos realmente protegidos?"

"Ah!...", ela exclamou com uma careta de gnomo, que a enfeava ainda mais, antes de acender um Gitane. "Eu me perguntava se alguém ia acordar nessa faculdade de merda. Não, não estamos nem um pouco protegidos, peço que acredite em mim, sei muito bem do que estou falando..."

Deixou passar uns segundos antes de explicar: "Meu marido trabalha na DGSI..." Olhei para ela estarrecido: era a primeira vez em dez anos que, ao cruzar com ela, eu tomava consciência de que fora uma mulher, e mesmo em certo sentido ainda era, e de que um homem, certo dia, sentira desejo por aquela criatura encarquilhada e baixotinha, quase um batráquio. Ela felizmente se enganou quanto à minha expressão. "Eu sei...", ela disse com satisfação, "isso sempre surpreende. Bem, você sabe o que é a DGSI?"

"É um serviço secreto? Um pouco como a DST?"

"A DST não existe mais. Associou-se aos Renseignements Généraux, para formarem a DCRI, que depois se tornou a DGSI."

"Seu marido é uma espécie de espião?"

"Não propriamente, os espiões são mais a DGSE, e estão subordinados ao Ministério da Defesa. A DGSI faz parte do Ministério do Interior."

"Então é uma polícia política?"

Ela sorriu de novo, mais discretamente, o que a enfeava um pouco menos. "Oficialmente, é claro que recusam o rótulo, mas, afinal, sim, é um pouco isso. Vigiam os movimentos extremistas, essa é uma das principais atribuições deles. Você poderia vir tomar alguma coisa em casa, meu marido lhe explicará tudo isso. Quer dizer, explicará o que tem permissão de explicar, não sei exatamente o quê, isso muda o tempo todo, dependendo da evolução dos processos. Mas, de qualquer maneira, haverá verdadeiras mudanças depois das eleições, e que se referem diretamente à faculdade."

Moravam no square Vermenouze, cinco minutos a pé de Censier. Seu marido não parecia nem um pouco membro dos serviços secretos tal como eu imaginava (aliás, o que é que eu imaginava? Provavelmente uma espécie de corso, misto de bandido e vendedor de aperitivos). Sorridente e arrumadinho, o crânio tão liso que parecia lustrado, vestia um cardigã xadrez, mas imagino que nos horários de trabalho devia usar gravata-borboleta, e talvez um colete, tudo nele transpirava uma elegância antiquada. Tive de cara uma impressão de agilidade intelectual quase anormal; era provavelmente o único ex-aluno da rue d'Ulm* a ter feito, depois do concurso para professor, o concurso para entrar na Escola Nacional Superior da polícia. "Imediatamente depois de ter sido nomeado delegado", disse ele ao me servir um porto, "pedi minha transferência para os Renseignements Généraux; era uma espécie de vocação...", acrescentou com um sorrisinho, como se seu gosto pelos serviços secretos não passasse de uma inocente mania.

Fez uma longa pausa, deu um primeiro gole de porto, depois um segundo, e prosseguiu:

"As negociações entre o Partido Socialista e a Fraternidade Muçulmana são muito mais difíceis que o previsto. E olhe que os muçulmanos estão dispostos a dar para a esquerda mais da metade dos ministérios, inclusive ministérios-chave como o das Finanças e o do Interior. Não há entre eles nenhuma divergência sobre a economia, nem sobre a política fiscal; tampouco sobre a segurança

* Onde fica a École Normale Supérieure. (N. T.)

— e de quebra, ao contrário de seus parceiros socialistas, eles têm meios de fazer reinar a ordem nos subúrbios. Há alguns desacordos em política externa. Eles gostariam, por parte da França, de uma condenação um pouco mais firme de Israel, mas isso a esquerda lhes concederá sem problema. A verdadeira dificuldade, o pomo de discórdia das negociações, é a educação nacional. O interesse pela educação é uma velha tradição socialista, e o meio docente é o único que nunca abandonou o Partido Socialista, que continuou a apoiá-lo até a beira do abismo; só que, agora, estão lidando com um interlocutor ainda mais motivado que eles, e que não cederá sob nenhum pretexto. A Fraternidade Muçulmana é um partido especial, você sabe: muitas das implicações políticas habituais os deixam mais ou menos indiferentes; e, sobretudo, não põem a economia no centro de tudo. Para eles o essencial é a demografia e a educação; a subpopulação que dispõe da melhor taxa de reprodução, e consegue transmitir seus valores, triunfa; sob o ponto de vista deles, é tão simples assim, e a economia, e até a geopolítica, não passam de pura fachada para inglês ver: quem controla as crianças controla o futuro, ponto final. Então, o único ponto capital, o único ponto sobre o qual fazem questão de obter ganho de causa é a educação das crianças."

"E o que eles querem?"

"Bem, para a Fraternidade Muçulmana cada criança francesa deve ter a possibilidade de se beneficiar, do início ao fim da escolaridade, de um ensino islâmico. E o ensino islâmico é, de todos os pontos de vista, muito diferente do ensino laico. Primeiro, não pode em nenhuma hipótese ser misto; e só certas carreiras serão abertas às mulheres. O que eles desejam, no fundo, é que a maioria das mulheres, depois do curso primário, seja orientada para escolas de educação doméstica e se case o quanto antes — uma pequena minoria prosseguindo, antes de se casar, nos estudos literários ou artísticos; seria para eles o modelo ideal de sociedade. Por outro lado, todos os professores, sem exceção, deverão ser muçulmanos. As regras relativas ao regime alimentar das cantinas e o tempo dedicado às cinco preces diárias deverão ser respeitados; mas, sobretudo, o próprio currículo escolar deverá ser adaptado aos ensinamentos do Alcorão."

"Você acha que as negociações entre eles poderão ser bem-sucedidas?"

"Eles não têm escolha. Se fracassarem nesse acordo, a Frente Nacional com certeza ganhará as eleições. Aliás, mesmo que consigam isso, a Frente mantém todas as chances, você e eu vimos as pesquisas. Embora Copé acabe de declarar que a título pessoal se absteria, oitenta e cinco por cento dos eleitores da UMP votarão na Frente Nacional. Vai ser apertado, extremamente apertado: cinquenta a cinquenta, na verdade.

"Então, a única solução que lhes resta", prosseguiu, "é proceder a uma divisão sistemática dos ensinamentos escolares. Quanto à poligamia, aliás, já conseguiram chegar a um acordo, que poderia servir de modelo. O casamento republicano permanecerá inalterado, uma união entre duas pessoas, homens ou mulheres. O casamento muçulmano, eventualmente poligâmico, não terá nenhuma consequência em termos de estado civil, mas será reconhecido como válido, e abrirá direitos, tanto junto aos centros de seguridade social quanto aos serviços fiscais."

"Tem certeza? Isso me parece uma enormidade..."

"Absoluta, já foi até referendado nas negociações; aliás, isso está perfeitamente de acordo com a teoria da charia de minoria, defendida há muito tempo pela facção dos Irmãos Muçulmanos. Pois bem, quanto à educação, poderia ser um pouco a mesma coisa. A escola republicana continuaria tal como é, aberta a todos — mas com muito menos dinheiro. O orçamento do Ministério da Educação Nacional será reduzido pelo menos a um terço, e desta vez os professores não conseguirão salvar nada, no atual contexto econômico qualquer corte orçamentário com toda certeza vai obter um amplo consenso. E depois, paralelamente, se instalaria um sistema de escolas muçulmanas particulares, que se beneficiariam da equivalência dos diplomas — e que, por sua vez, poderiam captar subvenções particulares. É claro que muito depressa a escola pública se tornará uma escola de segunda classe, e todos os pais um pouco preocupados com o futuro dos filhos os matricularão no ensino muçulmano."

"No caso das universidades será a mesma coisa", interveio sua esposa. "A Sorbonne, em particular, os leva a fantasias incríveis — a Arábia Saudita está disposta a oferecer uma dotação quase ilimitada; vamos nos tornar uma das universidades mais ricas do mundo."

"E Rediger será nomeado reitor?", perguntei, lembrando-me de nossa conversa anterior.

"Sim, claro, mais que nunca seu nome é indiscutível; suas posições pró-muçulmanas são as mesmas há pelo menos vinte anos."

"Ele até se converteu, se não me falha a memória...", interveio o marido.

Esvaziei meu copo de um só gole, ele me serviu de novo; de fato, ia haver novidades.

"Suponho que isso seja terrivelmente secreto...", recomecei, após um tempo de reflexão. "Não entendo por que você está me contando tudo."

"Em tempos normais, é claro que eu manteria o silêncio. Mas o fato é que, neste caso, o vazamento já foi total, e é justo isso que nos preocupa atualmente. Tudo o que acabo de lhe dizer, e até mais, consegui ler, tal qual, nos blogs de certos militantes identitários — aqueles que conseguimos infiltrar." Balançou a cabeça com incredulidade. "Se eles tivessem conseguido instalar microfones nas salas mais protegidas do Ministério do Interior, não saberiam mais que isso. E o pior é que, por ora, não fazem nada com essas informações explosivas: nenhum comunicado de imprensa, nenhuma revelação destinada ao grande público; esperam, pura e simplesmente. É uma situação inédita — e perfeitamente angustiante."

Tentei saber um pouco mais sobre o movimento identitário, mas ele estava ficando visivelmente mais calado. Eu tinha um colega na faculdade, contei-lhe, que frequentara o movimento, antes de se afastar de vez. "É, é o que todos dizem", retrucou, sarcástico. Quando abordei a questão do armamento que, dizem, alguns desses grupos possuíam, ele se contentou em bebericar seu porto e resmungar em seguida: "É, houve boatos de financiamento pelos miliardários russos... mas na verdade nada foi confirmado", antes de se calar definitivamente. Despedi-me pouco tempo depois.

*Quinta-feira, 19 de maio.*

No dia seguinte me dirigi à faculdade, embora não tivesse nada para fazer ali, e disquei o número de Lempereur. Segundo meus cálculos, aquela era mais ou menos a hora em que ele terminava sua aula; de fato, ele atendeu. Propus que tomássemos alguma coisa; ele não gostava muito dos bares perto da faculdade e sugeriu nos encontrarmos no Delmas, na place de la Contrescarpe.

Subindo a rue Mouffetard, eu repensava nas palavras do marido de Marie-Françoise: meu jovem colega saberia mais do que quis me dizer? Ainda estaria diretamente implicado no movimento?

Com suas poltronas de couro, o soalho escuro e as cortinas vermelhas, o Delmas fazia perfeitamente seu gênero. Ele jamais teria ido ao bar em frente, o Contrescarpe, com suas exasperantes estantes falsas; era um homem de bom gosto. Pediu uma taça de champanhe, eu me contentei com uma cerveja Leffe, e dentro de mim algo estalou, senti-me de repente extremamente cansado de minha sutileza e de minha moderação, e ataquei direto, antes mesmo de o garçom retornar: "A situação política parece muito instável... Honestamente, o que você faria no meu lugar?"

Ele sorriu de minha franqueza mas respondeu no mesmo tom: "Primeiro, acho que começaria por trocar minha conta bancária."

"Conta bancária? Por quê?..." E me dei conta de que quase gritara, devia estar muito tenso, sem realmente perceber. O garçom voltou com nossos copos, Lempereur fez uma pausa antes de responder: "Pois é, nada garante que as evoluções recentes do Partido Socialista sejam muito apreciadas por seu eleitorado..." E nesse momento compreendi que ele *sabia*, que ainda desempenhava um papel dentro do movimento, e talvez um papel decisivo: todas essas informações secretas que tinham vazado na nuvem identitária, ele as conhecia à perfeição, e talvez até fosse ele que tivesse resolvido, até agora, mantê-las secretas.

"Nessas condições..." prosseguiu com delicadeza, "a vitória da Frente Nacional no segundo turno se torna perfeitamente possível. Eles são obrigados — absolutamente obrigados, pois se comprometeram muito nesse sentido, junto a seu eleitorado, maciçamente soberanista — a sair da Europa e do sistema monetário europeu. A longo prazo, as consequências para a economia francesa talvez sejam muito benéficas, mas num primeiro momento enfrentaremos convulsões financeiras consideráveis; não é garantido que os bancos franceses, mesmo os mais sólidos, resistam. Portanto, eu lhe recomendaria abrir uma conta num banco estrangeiro — de preferência um banco inglês, como o Barclays ou o HSBC."

"E... mais nada?"

"Já é muito. Além disso... você tem um lugar no interior onde poderia se refugiar por algum tempo?"

"Não, na verdade não."

"Eu o aconselharia, mesmo assim, a partir sem esperar muito; encontre um hotelzinho no campo. Você mora em Chinatown, não é? Há poucas chances de que haja saques ou conflitos graves nesse bairro; mas de qualquer maneira eu, no seu lugar, partiria. Tire férias, espere um pouco, dê tempo para as coisas decantarem."

"Tenho um pouco a impressão de ser um rato que abandona o navio."

"Os ratos são mamíferos inteligentes", respondeu em tom ponderado, quase divertido. "É muito provável que sobrevivam ao homem; em todo caso, o sistema social deles é amplamente mais sólido."

"O ano letivo ainda não terminou de vez; ainda me restam duas semanas de aula."

"Ora essa!..." Dessa vez ele sorriu abertamente, quase hilário. "Muitas coisas podem acontecer, a situação está longe de ser previsível; mas o que me parece praticamente impossível é que o ano letivo termine em condições normais!..."

Depois ele se calou, bebericando devagarinho sua taça de champanhe, e entendi que não diria mais nada; um leve sorriso de desprezo continuava a pairar em seus lábios, e estranhamente, porém, começava a me ser quase simpático. Pedi uma segunda cerveja, desta vez aromatizada com framboesa; não tinha a menor vontade de voltar para casa, nada nem ninguém me esperavam ali. Fiquei conjecturando se ele tinha uma companheira, ou uma namorada qualquer; provavelmente tinha. Era uma espécie de *eminência parda*, de líder político num movimento mais ou menos clandestino; havia moças atraídas por isso, era mais que sabido. Também há moças atraídas por especialistas em Huysmans, a bem da verdade. Eu mesmo tinha encontrado uma moça jovem, bonita, atraente, que tinha fantasias com Jean-François Copé; levei vários dias para me recuperar dessa história. A gente encontra as coisas mais estranhas entre as moças, hoje em dia.

*Sexta-feira, 20 de maio.*

No dia seguinte, abri uma conta na agência Barclays da avenue des Gobelins. A transferência do dinheiro só levava um dia útil, me informou o funcionário; para minha grande surpresa, consegui um cartão Visa quase de imediato.

Resolvi voltar a pé para casa, tinha cumprido as formalidades de mudança de conta mecanicamente, em estado de automatismo, e precisava refletir. Chegando à place d'Italie, fui de súbito invadido pela sensação de que tudo podia desaparecer. Aquela mocinha negra de cabelos crespos, traseiro apertado dentro de um jeans, que esperava o ônibus 21, podia desaparecer; com certeza desapareceria, ou pelo menos seria profundamente reeducada. Na esplanada do shopping Italie 2 havia, como de hábito, gente pedindo dinheiro, hoje era para o Greenpeace, eles também iam desaparecer, e pisquei os olhos quando um jovem moreno e barbudo, de cabelos compridos, se aproximou de mim com seu pacote de folhetos, e foi como se ele tivesse desaparecido por antecipação, e passei diante dele sem vê-lo e cruzei as portas envidraçadas que levavam ao térreo do centro comercial.

Dentro do shopping, o balanço era mais contrastado. A Bricorama era incontestável, mas os dias de Jennyfer estavam sem a menor dúvida contados, a loja não propunha nada capaz de convir a uma adolescente islâmica. A Secret Stories, em compensação, que vendia lingerie de marca a preços de ponta de estoque, não precisava ter a menor preocupação: o sucesso de lojas semelhantes nas galerias comerciais de Riad e Abu Dhabi era um fato. Nem Chantal Thomass nem La Perla tinham nada a temer com a instalação de um regime islâmico. Vestindo durante o dia impenetráveis burcas pretas, as ricas sauditas se transformavam à noite em aves-do-paraíso, ornamentavam-se com espartilhos, sutiãs rendados, fios dentais enfeitados de rendas coloridas e pedrarias; exatamente o inverso das ocidentais, classudas e sexy durante o dia porque seu estatuto social estava em jogo, e à noite desabando, ao voltarem para casa, abdicando exaustas de qualquer perspectiva de sedução, vestindo roupas descontraídas e disformes. De repente, diante da lojinha Rapid'Jus (que oferecia combinações cada vez mais complexas: coco-maracujá-goiaba, manga-lichia-guaraná, havia mais de dez opções, com teores vitamínicos assustadores), voltei a pensar em Bruno Deslandes. Não o via fazia quase vinte anos, e tampouco pensara nele durante todo esse tempo. Era um de meus colegas de doutorado, posso até dizer que tínhamos relações quase de amizade. Ele trabalhava com a obra de Laforgue, redigira uma tese razoável, sem mais, e logo em seguida prestara concurso para fiscal da receita antes de se casar com Annelise, moça que encontrara não sei onde, durante uma noitada estudantil qualquer. Ela trabalhava no departamento de marketing de uma operadora de telefonia celular, ganhava muito mais que ele, mas ele tinha a segurança do emprego, como se diz, e compraram uma casinha em Montigny-le-Bretonneux, já tinham dois filhos, um menino e uma menina, e era o único de meus colegas que entrara numa vida familiar normal, pois os outros se desdobravam entre um pouco de Meetic, um pouco de speed-dating e muita solidão, e eu o encontrara por acaso no trem do RER e ele me convidara para ir à casa dele na sexta à noite seguinte, para um churrasco, estávamos no final de junho, havia um gramado e era possível fazer churrascos, haveria alguns vizinhos e "ninguém da faculdade", ele me prevenira.

O erro tinha sido organizar isso numa sexta-feira à noite, foi o que compreendi de cara ao chegar ao gramado e dar um beijo na mulher dele, que trabalhava o dia todo e chegava em casa exausta, e além disso ficara cheia de ideias de tanto assistir às reexibições de *Um jantar quase perfeito*, no canal M6, e previra coisas sofisticadas demais; o suflê de *morilles* não deixava esperanças, mas na hora em que ficou claro que até o guacamole ia ser um fracasso, pensei que ela ia cair em prantos, e seu filho de três anos começou a dar uivos, e Bruno, que já estava enchendo a cara desde a chegada dos primeiros convidados, não podia lhe dar nenhuma ajuda para virar as linguiças, então fui socorrê-la, e do fundo de seu desespero ela me lançou um olhar perdido de gratidão, um churrasco era mais complexo do que eu pensava, as costeletas de carneiro estavam ganhando muito depressa uma película carbonizada, enegrecida e provavelmente cancerígena, o fogo devia estar muito forte e eu não entendia nada daquilo, se fosse regular o mecanismo eu me arriscava a explodir o botijão de gás, estávamos sozinhos diante de um monte de carne carbonizada e os outros convidados esvaziavam as garrafas de rosé sem prestar a menor atenção em nós, e foi com alívio que vi chegar a tempestade, os primeiros pingos caíram em cima de nós, oblíquos e glaciais, e foi uma retirada imediata para a sala, a noite evoluiu para o bufê frio. Na hora em que ela desabou no sofá, dando um olhar hostil para o tabule, pensei na vida de Annelise, na vida de todas as mulheres ocidentais. Talvez de manhã ela fizesse uma escova, depois se vestisse com esmero, conforme seu estatuto profissional, e acho que em seu caso ela era mais elegante do que sexy, bem, era uma dosagem complexa, devia passar muito tempo nisso antes de levar as crianças para a creche, o dia se passava entre e-mails, telefonemas, encontros diversos, depois voltava para casa lá pelas nove da noite, exausta (era Bruno quem ia buscar as crianças à noitinha e lhes dava o jantar, ele tinha horários de funcionário público), e então desmoronava, vestia um moletom e uma calça de jogging, era assim que se apresentava perante seu senhor e mestre, e ele devia ter, devia necessariamente ter a sensação de ter se fodido em algum momento, e ela mesma tinha a sensação de ter se fodido em algum momento, e que a coisa não ia melhorar com os anos, com as crianças que iam crescer e as responsabilidades profissionais que iam como que automaticamente aumentar, sem nem levar em conta o fato de que as carnes despencariam.

Fui um dos últimos a ir embora, e até ajudei Annelise a arrumar tudo; não tinha a menor intenção de me lançar numa aventura com ela — o que teria sido possível, tudo naquela situação parecia possível. Só queria que ela sentisse uma espécie de solidariedade, de vã solidariedade.

Com certeza Bruno e Annelise estavam, agora, divorciados, era assim que a coisa se passava em nossos dias; um século antes, na época de Huysmans, teriam ficado juntos, e afinal de contas talvez não tivessem sido tão infelizes. Ao chegar em casa me servi de um grande copo de vinho e mergulhei de novo no *En ménage*. Eu tinha a lembrança de ser um dos melhores romances de Huysmans, e logo de saída reencontrei o prazer da leitura, também depois de quase vinte anos, milagrosamente intacto. Acho que a felicidade morna dos velhos casais nunca foi expressada com tamanha doçura: "André e Jeanne em pouco tempo não tiveram mais que ternuras beatas, satisfações maternais em dormirem às vezes juntos, em se deitarem para simplesmente estarem próximos, para conversar antes de se instalarem de costas um para o outro e dormir". É bonito, mas seria verossímil? Era um horizonte concebível hoje? Isso estava de todo modo ligado aos prazeres da mesa: "A glutonaria introduziu-se entre eles como um novo interesse, levado pela crescente falta de curiosidade de seus sentidos, como uma paixão de sacerdotes que, privados de alegrias carnais, relincham diante de pratos delicados e de velhos vinhos". Certamente, na época em que a própria mulher comprava e descascava os legumes, preparava as carnes e punha para cozinhar seus ensopados por horas a fio, uma relação terna e nutrimental podia se desenvolver; as evoluções dos condicionamentos alimentares jogaram no esquecimento essa sensação que, aliás, Huysmans confessava com franqueza, não passava de uma tênue compensação para a perda dos prazeres carnais. Ele mesmo, em sua própria vida, nunca estabelecera uma rotina de casal com uma dessas mulheres "casa-comida-e-roupa-lavada", as únicas capazes, segundo Baudelaire, junto com as "mocinhas", de satisfazer ao literato — observação tanto mais justa na medida em que uma mocinha pode perfeitamente, com os anos, se transformar em mulher "do lar", e que é até mesmo seu desejo secreto e sua inclinação natural. Ele, ao contrário, após um período de "farras", decerto muito relativo, bifurcara para uma vida monástica, e foi aí que me separei dele. Agarrei *En route*, tentei ler algumas páginas e depois tornei a mergulhar no *En ménage*, pois decididamente a fibra espiritual era quase inexistente em mim, o que era uma pena porque a vida monástica continuava a existir, imutável havia séculos, ao passo que as mulheres casa-comida-e-roupa-lavada, onde encontrá-las agora? Na época de Huysmans com certeza ainda existiam, mas o meio literário em que ele se movia não lhe permitira encontrá-las. A faculdade não era um ambiente mais favorável, para falar a verdade. Myriam, por exemplo, poderia com o passar dos anos se transformar em mulher do lar? Eu estava pensando nessa questão quando meu celular tocou e, curiosamente, era ela, gaguejei de surpresa, pois na verdade não esperava de jeito nenhum que me ligasse. Dei uma olhada no despertador: já eram dez da noite, eu ficara totalmente absorto na leitura, tinha esquecido de comer. Por outro lado, percebi também que quase esvaziara minha segunda garrafa de vinho.

"A gente poderia...", hesitou, "eu tinha pensado que a gente poderia se ver amanhã à noite."

"É?..."

"Amanhã é seu aniversário. Talvez você tenha esquecido?"

"É. Sim, para ser sincero tinha esquecido completamente."

"E depois...", mais um momento de hesitação, "tenho também outra coisa para lhe dizer. Bem, seria legal se a gente se visse."

*Sábado, 21 de maio.*

Acordei às quatro da manhã, depois da ligação de Myriam terminei *En ménage*, esse livro era decididamente uma obra-prima, eu só tinha dormido pouco mais de três horas. A mulher que Huysmans procurara a vida inteira, ele a descrevera na idade de vinte e sete ou vinte e oito anos, em *Marthe*, seu primeiro romance, publicado em Bruxelas em 1876. Mulher do lar na maior parte do tempo, ela devia ser capaz de se transformar em mocinha em horas fixas, ele esclarecia. Não parecia muito complicado transformar-se em mocinha, era pelo menos mais fácil do que fazer um molho béarnaise; pouco importa, pois ele procurou em vão essa mulher. E, até agora, eu também não tinha conseguido. Em si, não me fazia tanto efeito assim ter quarenta e quatro anos, era um aniversário muito banal; mas foi exatamente aos quarenta e quatro anos que Huysmans encontrou a fé. De 12 a 20 de julho de 1892, passou sua primeira temporada na trapa de Igny, no Marne. No dia 14 de julho confessou-se, depois de enormes hesitações escrupulosamente retraçadas em *En route*. No dia 15 de julho, pela primeira vez desde a infância, recebeu a comunhão.

Quando escrevi minha tese sobre Huysmans, passei uma semana na abadia de Ligugé, onde ele receberia alguns anos mais tarde a oblatura, e outra semana na abadia de Igny. Esta fora inteiramente destruída na Primeira Guerra Mundial, mas mesmo assim minha temporada me ajudou muito. A decoração e o mobiliário, obviamente modernizados, mantinham essa simplicidade, essa nudez que impressionaram Huysmans; e o horário das múltiplas preces e ofícios diários, desde o Ângelus das quatro da manhã até a salve-rainha da noite, permanecera o mesmo. As refeições eram feitas em silêncio, o que era muito repousante em relação ao restaurante universitário; eu me lembrava também de que os monges fabricavam chocolate e *macarons* — os produtos deles, recomendados pelo *Petit Futé*, eram despachados para toda a França.

Não me era difícil entender que alguém fosse atraído pela vida monástica — embora, e eu tinha consciência disso, meu ponto de vista fosse muito diferente do de Huysmans. Eu não conseguia de jeito nenhum sentir a repugnância que ele ostentava pelas paixões carnais, nem sequer imaginá-las. Via de regra meu corpo era a sede de diversas afecções dolorosas — enxaquecas, doenças de pele, dores de dente, hemorroidas — que se sucediam sem interrupção, não me deixando em paz praticamente nunca — e eu tinha apenas quarenta e quatro anos! O que aconteceria quando eu tivesse cinquenta, sessenta, até mais!... Então eu já não seria mais do que uma justaposição de órgãos em lenta decomposição, e minha vida se tornaria uma tortura incessante, sombria e sem alegria, mesquinha. No fundo, meu pau era o único de meus órgãos que jamais tinha se manifestado à minha consciência pelo viés da dor, e sim do gozo. Modesto mas robusto, sempre me servira fielmente — bem, talvez fosse eu, ao contrário, que estivesse a seu serviço, a ideia era plausível, mas então seu jugo era bastante suave: nunca me dava ordens, às vezes me incitava, humildemente, sem acrimônia e sem raiva, a participar mais da vida social. Eu sabia que naquela noite ele intercederia em favor de Myriam, com quem sempre teve boas relações, Myriam sempre o tratara com afeto e respeito, e isso me dera imenso prazer. E em geral eu não tinha fontes de prazer; no fundo, não tinha mais nenhuma fonte que não fosse aquela. Meu interesse pela vida intelectual decrescera muito; minha existência social não era mais satisfatória do que minha existência corporal, ela também se apresentava como uma sucessão de pequenas amolações — pia entupida, internet fora do ar, perda de pontos na carteira de motorista, faxineira desonesta, erro na declaração do imposto — que também se sucediam sem interrupção, praticamente nunca me deixando em paz. No mosteiro, imagino que escapávamos à maioria dessas amolações; depositávamos o fardo da existência individual. Da mesma forma, renunciávamos ao prazer; mas era uma opção passível de ser defendida. Era uma pena, pensei, prosseguindo a leitura, que Huysmans tivesse insistido tanto, em *En route*, na sua repugnância por suas esbórnias passadas; talvez, ali, ele não tenha sido inteiramente honesto. O que o atraía no mosteiro, eu desconfiava, não era, antes de tudo, o fato de que escaparia da busca dos prazeres carnais; era mais o fato de que fosse possível se livrar da estafante e melancólica sucessão de pequenas amolações da vida cotidiana, de tudo o que ele descrevera tão magistralmente em *À vau-l'eau*. No mosteiro, ao menos, lhe asseguravam pouso e mesa — e, de quebra, a vida eterna, na melhor das hipóteses.

Myriam bateu à porta pelas nove da noite. "Feliz aniversário, François...", me disse logo, na soleira da porta, com uma vozinha fina, e depois se jogou em cima de mim e me beijou na boca, um beijo longo, voluptuoso, nossos lábios e nossas línguas se fundiram. Voltando com ela para a sala, me dei conta de que estava ainda mais sexy que da última vez. Vestia outra minissaia preta, ainda mais curta, e usava meias. Quando sentou no sofá percebi a presilha da cinta-liga preta no alto de sua coxa muito branca. A blusa, também preta, era completamente transparente, via-se à perfeição seus seios balançarem — percebi que meus dedos conservavam a memória do toque dos mamilos, e ela deu um sorriso titubeante, havia nesse instante algo de indeciso e fatal.

"Você me trouxe um presente?", perguntei, num tom que pretendia ser divertido, como uma tentativa de desanuviar o ambiente.

"Não", respondeu com gravidade, "não encontrei nada que me agradasse de verdade."

Depois de mais um tempo em silêncio, de repente afastou amplamente as coxas; estava sem calcinha, e sua saia era tão curta que a linha de sua bucetinha apareceu, depilada e cândida. "Vou te chupar...", disse, "uma chupada gostosa. Venha, sente no sofá."

Obedeci, deixei que ela me despisse. Ela se ajoelhou na minha frente e começou a lamber meu ânus, de forma demorada e suave, antes de me pegar pela mão e me levantar. Encostei na parede. Ela ajoelhou de novo e começou a lamber meu saco enquanto me masturbava com batidinhas rápidas.

"Quando quiser, eu passo para o seu pau", ela disse, parando um instante. Esperei mais, até que o desejo ficasse irresistível, antes de dizer: "Agora".

Fitei-a nos olhos logo antes de sua língua encostar no meu sexo, vê-la em ação aumentava ainda mais minha excitação; ela estava num clima estranho, misto de concentração e frenesi, sua língua girava na minha glande, ora rápida, ora apertando lentamente; sua mão esquerda pressionava a base do meu pau enquanto os dedos da mão direita tocavam meus colhões, as ondas de prazer rebentavam e varriam minha consciência, eu mal me aguentava em minhas pernas, estava a um fio de desmaiar. Logo antes de explodir num berro, tive forças para suplicar:

"Pare... Pare..." Mal reconheci minha voz, deformada, quase inaudível.

"Não quer gozar na minha boca?"

"Agora não."

"Bem... Espero que isso signifique que daqui a pouco você vai querer foder comigo. A gente vai comer, então?"

Desta vez eu tinha encomendado previamente os sushis, que esperavam na geladeira desde o meio da tarde; e tinha posto para gelar duas garrafas de champanhe.

"Sabe, François...", ela disse depois de um primeiro gole, "não sou puta, nem ninfomaníaca. Se chupo você assim, é porque te amo. Porque te amo de verdade. Você sabia?"

Sim, eu sabia. Sabia que havia outra coisa, também, que ela não conseguia me dizer. Encarei-a longamente, procurando em vão como abordar o assunto. Ela terminou a taça de champanhe, suspirou, serviu-se de uma segunda taça e falou: "Meus pais resolveram abandonar a França."

Fiquei sem voz. Bebeu a taça, serviu-se de uma terceira, antes de prosseguir.

"Vão emigrar para Israel. Pegamos o avião para Tel-Aviv na próxima quarta-feira. Não vão esperar nem o segundo turno da eleição presidencial. A loucura total é que organizaram tudo nas nossas costas, sem nos dizer nada: abriram uma conta bancária em Israel, se viraram para alugar a distância um apartamento; meu pai liquidou seus créditos acumulados de aposentadoria, puseram a casa à venda, e tudo isso sem nos falar nada. Minha irmãzinha e meu irmãozinho, pensando bem, eu entendo, talvez sejam meio crianças, mas eu tenho vinte e dois anos e eles me põem, assim, diante do fato consumado!... Eles não me forçam a ir embora, e se eu de fato insistir estão dispostos a me alugar um quarto em Paris; mas a verdade é que as férias universitárias estão aí, e sinto que não posso deixá-los, bem, pelo menos não agora, eles ficariam muito aflitos. Eu não tinha me dado conta mas faz alguns meses que as amizades deles mudaram, agora eles só veem outros judeus. Passam as noites juntos e imaginam mil coisas ao mesmo tempo. Não são os únicos a partir, há pelo menos quatro ou cinco amigos deles que liquidaram tudo para se instalar em Israel. Discuti uma noite inteira com os dois, sem conseguir abalar a determinação deles. Estão convencidos de que vai acontecer algo grave na França para os judeus, é estranho, é um troço que lhes vem tardiamente, com cinquenta anos de atraso, eu disse a eles que é uma coisa completamente idiota, que faz muito tempo que a Frente Nacional não tem mais nada de antissemita!..."

"Nem tanto tempo assim. Você é muito jovem para tê-lo conhecido, mas o pai, Jean-Marie Le Pen, ainda era ligado à velha tradição da extrema direita francesa. Era um brutamontes, quase que totalmente inculto, com certeza nunca leu Drumont nem Maurras; mas acho que ouviu falar, que isso fazia parte de seu horizonte mental. Para a filha, é claro, isso não quer dizer mais rigorosamente nada. Dito isso, mesmo se for o muçulmano que chegue lá, não creio que você tenha muito a temer. Afinal, ele é aliado do Partido Socialista, não pode sair fazendo qualquer bobagem."

"Nisso...", ela balançou a cabeça, dubitativa, "nisso sou menos otimista que você. Quando um partido muçulmano chega ao poder, nunca é muito bom para os judeus. Não vejo nenhum exemplo contrário..."

Fiquei quieto; no fundo eu não conhecia muito bem história, no liceu fui um aluno desatento e depois jamais consegui ler um livro de história até o fim.

Ela se serviu de mais uma dose. Era a coisa a fazer, com certeza, embriagar-se um pouco, tendo em vista as circunstâncias; além disso, o champanhe era bom.

"Meu irmão e minha irmã poderiam continuar os estudos no liceu; eu também poderia ir à universidade de Tel-Aviv, teria uma equivalência parcial. Mas o que é que eu vou fazer em Israel? Não falo uma palavra de hebraico. Meu país é a França."

Sua voz se alterou ligeiramente, senti que estava à beira das lágrimas. "Eu amo a França!...", disse com voz cada vez mais embargada. "Eu amo, sei lá... amo o queijo!"

"Eu tenho!" Levantei-me num pulo burlesco para tentar relaxar o ambiente, fui pegar alguns na geladeira: de fato, eu tinha comprado um saint-marcellin, um comté, um bleu des Causses. Também abri uma garrafa de vinho branco; ela não prestou a menor atenção.

"E além disso... e além disso não quero que tudo acabe entre nós", disse, e em seguida começou a chorar. Eu me levantei e a peguei nos braços; não via nada de sensato a lhe responder. Levei-a até o quarto, abracei-a de novo. Ela continuava a chorar baixinho.

Acordei por volta de quatro da manhã; era noite de lua cheia, via-se muito bem dentro do quarto. Myriam estava deitada de bruços, vestindo apenas uma camiseta. O tráfego no bulevar era praticamente nenhum. Depois de dois ou três minutos uma caminhonete Renault Trafic chegou devagarinho, parou em frente ao edifício. Dois chineses saíram para fumar um cigarro, parecendo examinar as redondezas; depois, sem razão aparente, entraram no veículo, que se afastou na direção da porte d'Italie. Voltei para a cama, acariciei suas nádegas; ela se encolheu contra mim, sem acordar.

Virei-a de lado, afastei suas coxas e comecei a acariciá-la; quase de imediato ela ficou molhada, e meti nela. Ela sempre gostou dessa posição simples. Levantei suas coxas para penetrá-la bem fundo e comecei o vaivém. Costumam dizer que o gozo feminino é complexo, misterioso; mas, quanto a mim, o mecanismo de meu próprio gozo me era ainda mais desconhecido. Logo senti que dessa vez seria capaz de me controlar tanto tempo quanto necessário, que conseguiria parar à vontade a ascensão do prazer. Meus quadris se mexiam flexíveis, sem cansaço, e alguns minutos depois ela começou a gemer, em seguida a gritar, e continuei a penetrá-la, prossegui mesmo quando ela começou a apertar meu pau com a buceta, eu respirava devagar, sem esforço, com a impressão de ser eterno, depois ela soltou um gemido muito longo, me joguei sobre ela e a agarrei em meus braços, e ela repetia: "Meu amor… meu amor…", chorando.

*Domingo, 22 de maio.*

Acordei de novo lá pelas oito, preparei a cafeteira, voltei para a cama; Myriam respirava com regularidade, seu fôlego acompanhava em ritmo mais lânguido o ruído discreto da percolação. Pequenos cúmulos bochechudos pairavam no céu azul; eram para mim, desde sempre, as nuvens da felicidade, aquelas cujo branco brilhante só estava ali para realçar o azul do céu, aquelas que as crianças representam quando desenham uma casinha ideal, com lareira fumegante, gramado e flores. Não sei muito bem o que me deu para ligar a iTélé, logo depois de me servir de uma primeira xícara de café. O som estava regulado muito alto e levei tempo até encontrar o controle remoto e apertar o botão Mute. Tarde demais, ela acordara; ainda de camiseta, veio se enroscar no sofá da sala. Nosso curto momento de paz terminara; pus novamente o som. O noticiário sobre as negociações secretas entre o Partido Socialista e a Fraternidade Muçulmana tinham caído na internet durante a noite. Que fosse na iTélé, na BFM ou na LCI, agora só se falava disso, era uma edição especial permanente. Por ora não havia nenhuma reação de Manuel Valls; mas Mohammed Ben Abbes devia dar uma entrevista coletiva às onze horas.

Gorducho e jovial, volta e meia malicioso em suas respostas aos jornalistas, o candidato muçulmano fazia com que se esquecesse totalmente que ele fora um dos mais jovens diplomados da Escola Politécnica da França, antes de entrar para a Escola Nacional de Administração, na turma Nelson Mandela — a mesma de Laurent Wauquiez. Mais lembrava um bom e velho quitandeiro tunisiano de bairro — o que seu pai tinha sido, aliás, embora o mercadinho ficasse em Neuilly-sur-Seine, e não no décimo oitavo arrondissement, e menos ainda em Bezons ou em Argenteuil.

Mais do que qualquer outro, lembrou dessa vez, ele se beneficiara da meritocracia republicana; menos do que qualquer outro, desejava ofender um sistema ao qual devia tudo, e até mesmo essa honra suprema de se apresentar ao sufrágio do povo francês. Evocou o pequeno apartamento em cima do mercadinho, onde fazia seus deveres; ressuscitou rapidamente a figura do pai, com o toque de emoção necessária; eu o achava excelente.

Mas era preciso admitir que os tempos, ele prosseguia, tinham mudado. Era cada vez mais frequente que as famílias — fossem judias, cristãs ou muçulmanas — desejassem para seus filhos uma educação que não se limitasse à transmissão de conhecimentos, mas integrasse uma formação espiritual correspondendo à sua tradição. Esse retorno ao sagrado era uma tendência profunda, que atravessava nossas sociedades, e a Educação Nacional não podia deixar de levá-la em conta. Tratava-se, em suma, de ampliar o quadro da escola republicana, de torná-la capaz de coexistir harmoniosamente com as grandes tradições espirituais — muçulmanas, cristãs ou judaicas — de nosso país.

Suave e ronronante, seu discurso prosseguiu por uns dez minutos antes que se passasse às perguntas da imprensa. Eu tinha reparado, havia tempo, que os jornalistas mais malcriados, mais agressivos, ficavam como que hipnotizados, aparvalhados na presença de Mohammed Ben Abbes. No entanto, me parecia haver perguntas embaraçosas que poderiam ter sido feitas a ele: a supressão do ensino misto, por exemplo; ou o fato de que os professores devessem abraçar a fé muçulmana. Mas, afinal de contas, já não era esse o caso entre os católicos? Era preciso ser batizado para ensinar numa escola cristã? Refletindo sobre isso, percebi que não sabia nada a respeito, e quando terminava a entrevista coletiva compreendi que eu chegara exatamente aonde o candidato muçulmano queria me levar: a uma espécie de dúvida generalizada, à sensação de que naquilo não havia nada com que se alarmar, nem de verdadeiramente novo.

Marine Le Pen contra-atacou ao meio-dia e meia. Decidida e com uma escova recém-feita, filmada ligeiramente de baixo para cima, diante do Hôtel de Ville, estava quase bonita — o que contrastava nitidamente com suas aparições anteriores: desde a virada de 2017, a candidata nacional se convencera de que, para ter acesso à magistratura suprema, uma mulher devia necessariamente se parecer com Angela Merkel, e ela se dedicava a igualar a respeitabilidade rebarbativa da chanceler alemã, indo a ponto de copiar o corte de seus tailleurs. Mas naquela manhã de maio parecia ter encontrado uma resplandecência e um ímpeto revolucionário que lembravam as origens do movimento. Havia algum tempo que corria o boato de que certos discursos seus eram escritos por Renaud Camus — sob a vigilância de Florian Philippot. Não sei se esse boato tinha fundamento, mas em todo caso ela fizera progressos consideráveis. De cara, fiquei impressionado com o caráter republicano, e até francamente anticlerical, de sua intervenção. Superando a referência banal a Jules Ferry, ela chegava a Condorcet, de quem citava o memorável discurso de 1792 perante a Assembleia Legislativa, em que ele evoca esses egípcios, esses indianos "cujo espírito humano fez tantos progressos, e que recaíram no embrutecimento da mais vergonhosa ignorância no momento em que a potência religiosa se apoderou do direito de instruir os homens".

“Eu achava que ela era católica...”, Myriam observou.

“Não sei, mas o eleitorado dela não é, nunca a Frente Nacional conseguiu penetrar entre os católicos, eles são demasiado solidários e terceiro-mundistas. Então, ela se adapta.”

Ela olhou para o relógio, fez um gesto de cansaço. “Preciso ir, François. Prometi a meus pais que iria almoçar com eles.”

“Eles sabem que você está aqui?”

“Sabem, sabem, não vão se preocupar; mas vão me esperar para comer.”

Fui uma vez à casa dos pais dela, bem no início de nosso relacionamento. Moravam na Cité des Fleurs, atrás do metrô Brochant. Tinham uma garagem, um ateliê, parecia que estávamos numa cidadezinha do interior, em qualquer lugar menos Paris. Lembro-me de que jantamos no gramado, era a época dos junquilhos. Tinham sido muito simpáticos comigo, acolhedores e calorosos — sem tampouco parecer me darem importância extrema, o que era melhor ainda. No momento em que seu pai abria uma garrafa de Châteauneuf-du-Pape, de repente eu me dei conta de que Myriam, com vinte anos feitos, ainda jantava toda noite com os pais; ajudava o irmãozinho a fazer os deveres, ia comprar roupas com a irmãzinha. Era uma tribo, uma tribo familiar unida; e, em relação a tudo o que eu tinha vivido, isso era tão inacreditável que me esforcei muito para não cair no choro.

Cortei o som; os movimentos de Marine Le Pen se tornavam mais agitados, ela assestava socos no ar diante de si, a certa altura abriu violentamente os braços. É claro que Myriam ia partir com os pais para Israel, não podia fazer outra coisa.

“Espero realmente voltar logo, sabe...” disse ela, como se tivesse lido meus pensamentos. “Ficar só uns meses, tempo para que as coisas se acomodem na França." Achei seu otimismo um pouco exagerado, mas me calei.

Enfiou a saia. "É claro que agora, com o que está acontecendo, eles vão vibrar, vão falar disso durante todo o almoço. 'Bem que nós te dissemos, minha filha...' Pois é, são bonzinhos, pensam que é para meu bem, eu sei."

"Sim, são bonzinhos. São realmente bonzinhos."

"E você, o que é que vai fazer? O que acha que vai acontecer na faculdade?"

Acompanhei-a até a porta; na verdade, eu percebia que não tinha a menor ideia; e me dava conta também de que estava me lixando. Beijei-a suavemente nos lábios antes de responder: "Para mim não há Israel." Um pensamento bem pobre; mas um pensamento exato. Depois ela desapareceu no elevador.

A seguir houve um intervalo de algumas horas. O sol se punha entre os altos edifícios quando de novo emergi à plena consciência de mim mesmo, das circunstâncias, de tudo. Meu espírito zanzara em zonas incertas e escuras, eu me sentia triste a ponto de morrer. As frases de Huysmans no *En ménage* retornavam sem parar, lancinantes, e então tomei consciência dolorosamente de que nem tinha proposto a Myriam vir morar comigo, nos instalarmos juntos, mas logo depois percebi que o problema não era esse, que de qualquer maneira seus pais estavam dispostos a lhe alugar um quarto, e que meu apartamento era apenas um quarto e sala, um grande quarto e sala, sem dúvida, mas um quarto-e-sala, e viver junto com certeza levaria, em curtíssimo prazo, ao desaparecimento de qualquer desejo sexual, e ainda éramos muito jovens para que nosso relacionamento sobrevivesse a isso.

Numa época mais antiga, as pessoas constituíam famílias, isto é, depois de reproduzirem ainda davam duro por uns anos, tempo para que os filhos chegassem à idade adulta, e depois se juntavam a seu Criador. Mas, agora, era mais na faixa de cinquenta ou sessenta anos que parecia sensato um casal ir viver junto, quando seus corpos envelhecidos, doloridos, já não sentem senão a necessidade de um contato familiar, sereno e casto; quando, também, a cozinha regional, tal como é celebrada por exemplo nas *Escapades de Petitrenaud*,* passa definitivamente à frente dos outros prazeres. Brinquei algum tempo com a ideia

* Programa de gastronomia do canal de televisão France5, apresentado por Jean-Luc Petitrenaud. (N. T.)

de um artigo destinado ao *Journal des dix-neuvièmistes*, em que demonstraria que, depois de um longo e fastidioso período modernista, as conclusões desiludidas de Huysmans tornavam a ser atuais, e isso mais que nunca, como mostrava a multiplicação, em todos os canais, de programas de sucesso dedicados à cozinha, e muito especialmente à cozinha regional; depois percebi que já não tinha em mim a energia nem o desejo necessários para escrever um artigo, embora fosse para uma publicação tão restrita como o *Journal des dix-neuvièmistes*. Ao mesmo tempo percebi, com uma espécie de estupor incrédulo, que a televisão continuava ligada, ainda na iTélé. Pus o som: fazia tempo que Marine Le Pen terminara seu discurso, mas ele estava no centro de todos os comentários. Assim fiquei sabendo que a líder nacional convocara para quarta-feira uma imensa manifestação, que subiria os Champs-Elysées. Ela não cogitava, de jeito nenhum, pedir autorização à prefeitura de Paris, e em caso de proibição advertia antecipadamente às autoridades que a manifestação aconteceria "a qualquer preço". Concluíra seu discurso citando um artigo da Declaração dos Direitos do Homem e do Cidadão, a de 1793: "Quando o governo viola os direitos do povo, a insurreição é, para o povo e para cada porção do povo, o mais sagrado dos direitos e o mais indispensável dos deveres". A palavra *insurreição* provocara, naturalmente, inúmeros comentários, e tivera até mesmo esse resultado inesperado de fazer François Hollande sair de seu prolongado silêncio. Ao término de seus dois calamitosos mandatos de cinco anos cada um, devendo sua reeleição apenas à estratégia lamentável que consistiu em favorecer a ascensão da Frente Nacional, o presidente praticamente desistira de se manifestar, e quase toda a imprensa parecia até mesmo ter esquecido de sua existência. Quando, nas escadas do Elysée, diante da pequena dezena de jornalistas, ele se apresentou como "o último bastião da ordem republicana", houve alguns risos, breves mas muito perceptíveis. Dez minutos depois, o primeiro-ministro fez, por sua vez, uma declaração. Muito vermelho, com as veias da testa estufadas, parecia estar à beira de uma apoplexia, e preveniu a todos os que se punham à margem da legalidade democrática que, na verdade, seriam tratados como foras da lei. Finalmente, o único a manter o sangue-frio foi Mohammed Ben Abbes, que defendeu o direito de manifestação e propôs a Marine Le Pen um debate sobre a laicidade — o que, na opinião da maioria dos comentaristas, era hábil, na medida em que estava mais ou menos excluído que ela aceitasse, e o que lhe dava sem grande esforço a imagem de um homem de moderação e diálogo.

Acabei me cansando e zapeando vagamente entre uns reality shows banais sobre obesidade, antes de desligar de vez a tevê. Que a história política conseguisse ter um papel em minha própria vida continuava a me desconcertar, e a me repugnar um pouco. Contudo, eu percebia claramente, e fazia anos, que a distância crescente, agora abissal, entre a população e os que falavam em seu nome, políticos e jornalistas, devia necessariamente levar a algo caótico, violento e imprevisível. A França, como os outros países da Europa Ocidental, se dirigia havia algum tempo para a guerra civil, isso era uma evidência; mas até recentemente eu ainda estava convencido de que os franceses, em sua imensa maioria, continuavam resignados e apáticos — talvez porque eu mesmo estivesse razoavelmente resignado e apático. Eu estava enganado.

Myriam só me ligou na terça à noite, um pouco depois das onze; estava com uma voz boa, toda a sua confiança no futuro parecia ter voltado: segundo ela, as coisas iam se acertar depressa na França — eu, de minha parte, duvidava. Ela até conseguira se convencer de que Nicolas Sarkozy estava prestes a retornar ao jogo político e seria recebido como um salvador. Não tive coragem de desiludi-la, mas isso me parecia muito improvável; minha impressão era de que Sarkozy, lá no fundo de si mesmo, havia renunciado, e que desde 2017 pusera um ponto final definitivo nesse período de sua vida.

Ela pegaria o avião na manhã seguinte. Portanto, não poderíamos nos ver antes de sua partida; tivera muito o que fazer — a começar por sua mala, não é tão simples pôr toda uma vida dentro de trinta quilos de bagagem. Eu já esperava por isso; mesmo assim senti um leve aperto no coração quando desliguei. Sabia que, agora, ficaria muito sozinho.

*Quarta-feira, 25 de maio.*

Eu me sentia, porém, com um humor quase alegre, na manhã seguinte, quando peguei o metrô para ir à faculdade — os acontecimentos políticos dos últimos dias, e até a partida de Myriam, me surgiam como um pesadelo, um erro que seria prontamente corrigido. Chegando à rue de Santeuil, foi grande minha surpresa ao verificar que as grades que davam acesso aos prédios das salas de aula estavam hermeticamente fechadas — em geral os vigias as abriam desde as quinze para as oito. Vários estudantes, entre os quais reconheci alguns de meu segundo ano, estavam esperando na entrada.

Foi só às oito e meia que um vigia apareceu, vindo da secretaria central, e se postou atrás das grades para nos informar que a faculdade estava fechada o dia inteiro, e assim permaneceria até segunda ordem. Não podia nos dizer mais nada; devíamos voltar para casa, seríamos "informados individualmente". Era um negro simpático, um senegalês, se bem me lembro, que eu conhecia havia anos, e de quem gostava. Ele me segurou pelo braço, logo antes que eu me afastasse, para me dizer que segundo os boatos que corriam entre os funcionários a situação era grave, realmente grave, e que ele ficaria muito surpreso se a faculdade reabrisse nas próximas semanas.

Marie-Françoise, por sua vez, sabia talvez de alguma coisa; durante a manhã tentei várias vezes localizá-la, sem sucesso. Em desespero de causa, por volta da uma e meia da tarde liguei a iTélé. Muitos participantes da manifestação organizada pela Frente Nacional já tinham chegado: a place de la Concorde e o jardin des Tuileries estavam apinhados de gente. De acordo com os organizadores, havia dois milhões de pessoas — trezentos mil segundo a polícia. Seja como for, eu nunca tinha visto uma multidão daquelas.

Um cúmulo-nimbo gigante, em forma de bigorna, pairava sobre o norte de Paris, do Sacré-Coeur à Opéra, seus flancos cinza-escuro tinham tonalidades cor de chumbo. Transferi meu olhar para a tela da televisão, onde uma multidão imensa continuava a se aglutinar; depois, de novo, para o céu. A nuvem de tempestade parecia se deslocar lentamente para o sul: se desabasse acima das Tuileries, corria o risco de perturbar seriamente a manifestação.

Às duas da tarde, pontualmente, a passeata, liderada por Marine Le Pen, pegou a Champs-Elysées na direção do Arco do Triunfo, onde ela previra pronunciar um discurso às três horas. Cortei o som mas continuei por um instante a olhar a imagem. Uma imensa bandeirola barrava toda a largura da avenida, exibindo a inscrição: "Nós somos o povo da França". Nos inúmeros pequenos galhardetes espalhados entre a multidão estava escrito, mais simplesmente: "Esta é a nossa casa" — este se tornara o slogan, a um só tempo explícito e sem agressividade exagerada, usado pelos militantes nacionais durante suas reuniões. A tempestade continuava ameaçadora; a enorme nuvem estava agora suspensa, imóvel, acima do desfile. Alguns minutos depois me cansei e tornei a mergulhar no *En rade*.

Marie-Françoise me ligou um pouco depois das seis da tarde; não sabia muita coisa, o Conselho Nacional das Universidades se reunira na véspera, mas nenhuma informação vazara. De qualquer maneira, tinha certeza de que a faculdade não reabriria antes das eleições, e provavelmente não antes do reinício das aulas — as provas finais podiam muito bem ser postergadas para o mês de setembro. No mais, a situação lhe parecia séria; seu marido estava visivelmente inquieto, desde o início da semana passava catorze horas por dia em sua sala da DGSI, onde dormira na véspera. Desligou prometendo me telefonar caso soubesse de mais alguma coisa.

Eu não tinha mais nada para comer, nem muita vontade de ir ao Géant Casino, o início da noite era uma hora ruim para fazer compras nesse bairro populoso, mas estava com fome e, mais ainda, com vontade de comprar algo para comer, um picadinho de vitela, um pescado com ervas, uma moussaka berbère; os pratos para micro-ondas, fiáveis em sua insipidez, mas com embalagem colorida e alegre, representavam, pensando bem, um verdadeiro progresso em relação às desoladoras tribulações dos heróis de Huysmans; ali não se podia ler nenhuma malevolência, e a impressão de participar de uma experiência coletiva decepcionante, mas igualitária, podia abrir caminho para uma resignação parcial.

Curiosamente, o supermercado estava quase vazio, e enchi meu carrinho muito depressa, num ímpeto de entusiasmo mesclado de medo; sem razão específica, a expressão "toque de recolher" me atravessou o espírito. Certas funcionárias, enfileiradas atrás das caixas desertadas, ouviam rádio: a passeata continuava e, por ora, não se registrava nenhum incidente. Isso viria mais tarde, depois da dispersão, pensei.

A chuva desabou, muito violenta, na hora em que eu saía do centro comercial. Ao voltar para casa, esquentei uma língua de boi ao molho madeira, borrachuda mas decente, e liguei a televisão: os confrontos tinham começado, distinguiam-se grupos de homens mascarados, deslocando-se com rapidez, armados de fuzis e submetralhadoras; algumas vitrines estavam quebradas, carros incendiados aqui e acolá, mas as imagens, filmadas sob uma chuva torrencial, eram de péssima qualidade, era impossível ter uma ideia clara das forças presentes.

# III

*Domingo, 29 de maio.*

Acordei pelas quatro da manhã, lúcido, o espírito à espreita; me dei tempo para preparar cuidadosamente a mala, juntar os elementos de uma farmácia portátil, mudas de roupa para um mês; até encontrei minhas botas de caminhada — calçados americanos muito high-tech que eu nunca tinha usado, e comprara um ano antes imaginando que ia me lançar no circuito das trilhas. Também levei meu laptop, uma reserva de barras de proteína, uma chaleira elétrica, café solúvel. Às cinco e meia estava pronto para partir. Meu carro pegou facilmente, as saídas de Paris estavam vazias; às seis, já me aproximava de Rambouillet. Não tinha nenhum plano, nenhum destino certo; só a sensação, muito vaga, de que o melhor era me dirigir para o sudoeste; que, se uma guerra civil fosse estourar na França, levaria mais tempo para alcançar o sudoeste. Para ser sincero, não conhecia praticamente nada do sudoeste, a não ser o fato de que é uma região onde se come confit de pato; e o confit de pato me parecia pouco compatível com a guerra civil. Bem, eu podia estar enganado.

Em geral, conhecia pouco a França. Depois de uma infância e de uma adolescência passadas em Maisons-Laffitte, subúrbio burguês por excelência, mudei-me para Paris, de onde nunca mais saí; de fato, jamais visitara este país do qual era, de maneira um pouco teórica, cidadão. Tive veleidades de fazê-lo, como prova a compra desta Volkswagen Touareg, contemporânea da compra das botas de caminhada. Era um veículo poderoso, dotado de um motor v8 diesel de 4,2 litros com injeção direta *common rail*, que lhe permitia passar dos 240 km/h; feito para os longos percursos em autoestrada, também podia mostrar reais aptidões nas ultrapassagens. Na época devo ter imaginado fins de semana, escapadas por trilhas no meio de florestas; mas nada disso, afinal, aconteceu, e me contentei em ser, aos domingos, um freguês regular do mercado de livros antigos que havia no parque Georges-Brassens. Às vezes, também, felizmente, dedicara meus domingos a trepar — principalmente com Myriam. Minha vida teria sido bem insípida e sombria se eu não tivesse, pelo menos de vez em quando, trepado com Myriam. Parei na área dos Mille Étangs, logo depois da saída de Châteauroux; comprei um cookie duplo recheado de chocolate e um copo grande de café no La Croissanterie, depois voltei para o carro e tomei esse café da manhã pensando em meu passado, ou em nada. O estacionamento dominava o campo ao redor, deserto com exceção de algumas vacas — provavelmente da raça charolesa. Agora o dia já ia alto, mas bancos de névoa ainda pairavam sobre os prados lá embaixo. Era uma paisagem de vales, bem bonita, mas não se avistava nenhum lago — nem, aliás, nenhum rio. Parecia-me imprudente pensar no futuro.

Liguei o rádio do carro: as operações eleitorais tinham começado, e se passavam normalmente; François Hollande já tinha votado em seu "feudo da Corrèze". O comparecimento, pelo que se podia julgar em hora tão matutina, era alto, mais alto que o das duas eleições presidenciais anteriores. Certos analistas políticos consideravam que um índice de comparecimento eleitoral alto favorecia os "partidos de governo" em detrimento dos partidos radicais; mas outros, igualmente reputados, pensavam exatamente o contrário. Em suma, por ora era impossível tirar qualquer conclusão do índice de participação, e era um pouco cedo para ouvir o rádio; desliguei-o antes de sair do estacionamento.

Pouco depois da sair me dei conta de que o medidor de combustível estava baixo, mais ou menos em 1/4; eu deveria ter enchido o tanque no posto. Percebi também que a autoestrada estava excepcionalmente deserta. Domingo de manhã nunca tem muita gente na rodovia, é o momento em que a sociedade respira, se descongestiona, em que seus membros têm a breve ilusão de uma existência individual. Mas, ainda assim, fazia talvez cem quilômetros que eu não ultrapassava nem cruzava com outro carro; apenas evitara um caminhão búlgaro que andava em zigue-zague, bêbado de cansaço, entre a fila da direita e o acostamento. Tudo estava calmo, eu ia costeando as balizas eólicas bicolores agitadas por um vento leve; o sol brilhava nos pastos e bosques como um bom empregado fiel. Liguei de novo o rádio, mas desta vez em vão: todas as estações pré-programadas no aparelho, da France Info à Europe 1, passando pela Rádio Monte-Carlo e pela RTL, emitiam apenas um confuso chiado eletrostático. Alguma coisa estava acontecendo na França, eu tinha certeza; no entanto, eu podia continuar a cruzar, a duzentos quilômetros por hora, a malha viária nacional, e talvez fosse o melhor a fazer, mais nada parecia funcionar neste país, talvez os próprios radares também estivessem em pane, e continuando nessa velocidade eu chegaria lá pelas quatro da tarde ao posto de fronteira do Jonquet, e uma vez na Espanha a situação seria diferente, e a guerra civil estaria um pouco mais afastada, era algo a tentar. Só que eu não tinha mais combustível: sim, era esse o problema a resolver, com a maior urgência, precisava cuidar disso já no próximo posto de gasolina.

Seria o de Pech-Montat. Pelas placas na estrada, ele não tinha nada de muito animador: nem restaurante nem produtos regionais, era um posto jansenista, dedicado ao combustível puro; mas eu não podia esperar pelo Jardin des Causses du Lot, que ficava a cinquenta quilômetros mais adiante. Eu me conformei pensando que podia fazer uma parada de abastecimento em Pech-Montat, seguida de uma parada de lazer em Causses du Lot, onde compraria foie gras, queijo cabécou e um Cahors, que degustaria naquela noite mesmo no meu quarto de hotel na Costa Brava; era um projeto completo, que fazia sentido, um projeto realizável.

O estacionamento estava deserto, e percebi de imediato que havia algo estranho; desacelerei ao máximo antes de chegar, muito prudente, ao posto de gasolina. A parede envidraçada tinha explodido, miríades de cacos cobriam o asfalto. Saí do carro, me aproximei: dentro da loja, o vidro da geladeira de bebidas também estava estilhaçado, e os mostruários dos jornais haviam sido derrubados. Descobri a moça do caixa deitada no chão, numa poça de sangue, seus braços apertados sobre o peito num irrisório gesto de proteção. O silêncio era total. Então me dirigi às bombas de gasolina mas seu funcionamento estava travado. Deviam funcionar a partir dos caixas. Voltei para a loja, passei por cima do cadáver, a contragosto, mas não descobri nenhum mecanismo capaz de desbloquear o fluxo de combustível. Depois de hesitar um pouquinho peguei nas prateleiras um sanduíche de atum e salada, uma cerveja sem álcool e o Guia Michelin.

Entre os hotéis que o guia aconselhava na região, o mais próximo, o Relais du Haut-Quercy, ficava em Martel; bastava-me seguir uns dez quilômetros pela D 840. Ao religar o carro na direção da saída, tive a impressão de ver dois corpos estirados perto do estacionamento das carretas. Tornei a sair do carro, me aproximei: de fato, dois jovens magrebinos, vestindo o traje típico dos subúrbios, tinham sido mortos; perderam muito pouco sangue, mas estavam indiscutivelmente mortos; um deles ainda segurava na mão uma submetralhadora. O que, afinal, podia ter acontecido ali? Pelo sim, pelo não, tentei de novo sintonizar uma estação de rádio mas só consegui, também dessa vez, um zumbido indistinto de interferências.

Cheguei a Martel sem problema, quinze minutos depois, pela estrada departamental que cruzava uma paisagem risonha, arborizada. Continuava sem cruzar nenhum outro carro, e de fato começava a me interrogar; depois pensei que na certa as pessoas se enclausuravam em casa exatamente pelas mesmas razões que me impeliram a sair de Paris: a intuição de uma catástrofe iminente.

O Relais du Haut-Quercy era uma grande construção de calcário branco, de dois andares, um pouco afastada da cidade. A grade se abriu com um leve rangido, cruzei uma esplanada coberta de cascalho, subi uns degraus até a recepção. Não havia ninguém. Atrás do balcão, as chaves dos quartos estavam penduradas num quadro: não faltava nenhuma. Chamei várias vezes, cada vez mais alto, sem obter resposta. Saí de novo: os fundos do prédio eram ocupados por um terraço cercado de arbustos de rosas, com mesinhas redondas e cadeiras metálicas trabalhadas, que deviam ser usadas para o café da manhã. Segui por uma alameda margeada de castanheiros, por uns cinquenta metros, até dar num pátio herboso que dominava o campo ao redor, e onde espreguiçadeiras de lona e guarda-sóis esperavam hipotéticos clientes. Por alguns minutos contemplei a paisagem, ondulada e plácida, antes de voltar para o hotel. Quando estava quase no terraço, uma mulher veio vindo, uma loura de uns quarenta anos, com um vestido comprido de lãzinha cinza, cabelos presos em bandós; levou um susto ao me ver. "O restaurante está fechado", lançou, na defensiva. Eu disse que apenas buscava um quarto. "Também não há serviço de café da manhã", esclareceu ainda, antes de admitir, visivelmente a contragosto, que tinha um quarto disponível.

Acompanhou-me até o primeiro andar, abriu uma porta e me entregou um pedacinho minúsculo de papel:

"O portão fecha às vinte e duas horas, se voltar depois precisará do código", disse antes de se afastar, sem acrescentar nem mais uma palavra.

Depois de abertas as persianas, o quarto não era tão desagradável, a não ser o papel de parede, cuja estamparia, de um magenta desbotado, representava cenas de caça. Tentei em vão olhar a tevê: não havia sinal em nenhum canal, só um chuvisco indefinido de pixels. A internet tampouco funcionava: encontrei várias redes cujo nome começava por Bbox ou SFR — provavelmente as dos moradores do vilarejo — mas nenhuma evocava o Relais du Haut-Quercy. Uma folha de informações para os clientes, que descobri numa gaveta, dava detalhes sobre as curiosidades turísticas do vilarejo, e também havia indicações sobre a gastronomia do Quercy; mas nada a respeito da internet. Pelo visto, ficar conectado não era a preocupação maior dos clientes do estabelecimento.

Depois de arrumar minhas coisas, pendurar nos cabides as poucas roupas que eu levara, ligar na tomada a chaleira e a escova de dentes elétrica, ligar o celular para verificar se não tinha nenhuma mensagem, comecei a me perguntar o que estava fazendo ali. Essa pergunta muito genérica, qualquer homem pode fazer, em qualquer lugar, em qualquer momento de sua vida; mas o viajante solitário é, devemos reconhecer, particularmente exposto a ela. A bem da verdade, se Myriam estivesse a meu lado eu não teria outras razões de estar em Martel; e a pergunta nem sequer teria sido aventada. Um casal é um mundo, um mundo autônomo e fechado que se desloca no meio de um mundo mais vasto, sem ser realmente atingido por ele; solitário, eu era cruzado por fraquezas, e precisei de certa coragem para, guardando a folha de informações num bolso do blusão, voltar a sair para visitar o vilarejo.

O centro da place des Consuls era ocupado por um mercado de grãos, claramente antigo; eu não conhecia quase nada de arquitetura, mas as casas que o cercavam, construídas numa bela pedra amarelada, visivelmente tinham vários séculos, eu já tinha visto coisas do gênero na televisão, em geral nos programas apresentados por Stéphane Bern, e era tão bonito como na televisão, até mais; uma das casas era muito grande, quase um palácio, com arcadas em ogiva e torrezinhas, e ao me aproximar verifiquei que, de fato, o Hôtel de la Raymondie fora construído entre 1280 e 1350, e pertencia originalmente aos viscondes de Turenne.

O resto do vilarejo era simpático, e segui as ruelas pitorescas e desertas até chegar à igreja Saint-Maur, maciça, quase desprovida de janelas; tratava-se de uma igreja fortificada, como havia muitas na região, e construída para resistir às investidas dos infiéis, me ensinou o folheto de informações.

A D 840 que cruzava o vilarejo continuava na direção de Rocamadour. Eu já tinha ouvido falar de Rocamadour, era um destino turístico conhecido, com muitas estrelas no Guia Michelin, e eu até me perguntava se não tinha *visto* Rocamadour, num programa de Stéphane Bern, mas, seja como for, ficava a vinte quilômetros, e optei por uma estradinha menor e mais tortuosa, que levava a Saint-Denis-les-Martel. Cem metros adiante caí numa minúscula guarita de madeira pintada, que oferecia passagens para um trem a vapor turístico que ia serpenteando pelo vale do Dordogne. Parecia interessante; teria sido melhor, de qualquer maneira, estar acompanhado, repeti-me com um deleite sombrio; seja como for, não havia ninguém na guarita. Fazia alguns dias que Myriam chegara a Tel-Aviv, era de crer que tivera tempo de se informar sobre a inscrição na faculdade, que já teria dado entrada com a papelada, ou que se contentara em ir à praia, pois sempre gostou de praia; nunca tínhamos saído juntos de férias, pensei, nunca tive vocação para escolher um destino, para reservar, e eu alegava adorar Paris no mês de agosto mas a verdade é que simplesmente era incapaz de sair da cidade.

Um caminho de terra margeava a estrada de ferro, à direita. Depois de um quilômetro por uma ladeira suave no meio de uma floresta cerrada, fui dar num belvedere, com um mapa de orientação; um pictograma representando uma câmera fotográfica de fole confirmava a vocação turística daquela parada.

O Dordogne corria lá embaixo, encaixado entre falésias calcárias de uns cinquenta metros, prosseguindo obscuramente por seu destino geológico. A região era habitada desde os tempos mais remotos da pré-história, fiquei sabendo por uma tabuleta de informação pedagógica; ali, o homem de Cro-Magnon expulsara progressivamente o homem de Neandertal, que recuara até a Espanha, antes de desaparecer.

Sentei-me à beira da falésia, tentando sem grande êxito mergulhar na contemplação da paisagem. Meia hora depois, peguei o telefone e disquei o número de Myriam. Ela pareceu surpresa, mas feliz em me ouvir. Ia tudo bem, me disse, tinham um apartamento agradável, claro, no centro da cidade; não, ainda não cuidara da inscrição na faculdade; e eu, como eu ia? Bem, menti; mas sentia muitas saudades dela. Fiz com que prometesse me enviar um e-mail muito longo, em que me contaria tudo, assim que possível — antes de me lembrar que eu não tinha conexão de internet.

Sempre detestei imitar os barulhos de beijinhos ao telefone, quando jovem já custava a me decidir a fazê-lo, e depois dos quarenta isso me parecia francamente ridículo;

no entanto, me dobrei a isso, mas logo depois de desligar me senti invadido por uma solidão terrível, e compreendi que nunca mais teria a coragem de ligar para Myriam, a sensação de proximidade que se instalava ao telefone era violenta demais, e o vazio que se seguia era cruel demais.

A tentativa de me interessar pelas belezas naturais da região estava, obviamente, fadada ao fracasso; insisti, porém, mais um pouco, e caía a noite quando tornei a pegar a direção de Martel. Os homens de Cro-Magnon caçavam mamutes e renas; os de hoje tinham a escolha entre supermercados Auchan e Leclerc, ambos situados em Souillac. Os únicos comércios do vilarejo eram uma padaria — fechada — e um bar na place des Consuls, que também parecia fechado, nenhuma mesa tinha sido posta na praça. Uma luz fraca, porém, vinha lá de dentro, empurrei a porta e entrei.

Uns quarenta homens, num silêncio total, acompanhavam uma reportagem da BBC News transmitida por um televisor instalado no alto, no fundo da sala. Ninguém reagiu à minha chegada. Visivelmente eram os moradores do lugar, quase todos aposentados, os outros davam impressão de ser operários. Fazia tempo que eu não tivera ocasião de falar inglês, o comentarista tinha um ritmo muito rápido e eu não entendia quase nada; a bem da verdade, os outros espectadores não pareciam se situar melhor do que eu. As imagens, filmadas em localidades muito variadas — Mulhouse, Trappes, Stains, Aurillac —, não apresentavam nenhum interesse aparente: salões multiuso, escolas maternais, ginásios desertos. Precisei esperar a intervenção de Manuel Valls — filmado na entrada do Hôtel Matignon, pálido sob uma iluminação muito forte — para reconstituir o desenrolar dos acontecimentos: umas vinte seções eleitorais, em toda a França, tinham sido tomadas de assalto por bandos armados no início da tarde. Não se registrava nenhuma vítima, mas urnas haviam sido roubadas; por ora, essas ações não tinham sido reivindicadas por ninguém. Nessas condições, o governo não tivera outra opção a não ser interromper o processo eleitoral. Uma reunião de crise ocorreria mais tarde, à noite, e o chefe do governo anunciaria as medidas cabíveis; a força será aplicada de acordo com a lei da República, ele concluiu um tanto banalmente.

*Segunda-feira, 30 de maio.*

Acordei lá pelas seis da manhã e constatei que a televisão estava novamente funcionando: o sinal da iTélé estava ruim, mas o da BFM, muito bom; todos os programas eram, é claro, dedicados aos acontecimentos da véspera. Os comentaristas sublinhavam a extrema fragilidade do processo democrático; pois o código eleitoral era formal: bastava que os resultados de uma só seção, em toda a França, ficassem indisponíveis para que toda a eleição fosse invalidada. Sublinhavam também que era a primeira vez que um grupúsculo tivera a ideia de explorar essa fraqueza. Tarde da noite, o primeiro-ministro anunciara que novas eleições seriam convocadas para o domingo seguinte; mas dessa vez todas as seções eleitorais ficariam sob a proteção do Exército.

Sobre a questão das consequências políticas desses acontecimentos, desta vez os comentaristas estavam em absoluto desacordo, e acompanhei seus argumentos contraditórios durante boa parte da manhã, antes de descer para o parque, com um livro na mão. Conflitos políticos não faltaram na época de Huysmans: houve os primeiros atentados anarquistas; houve também a política anticlerical praticada pelo governo do "pequeno padre Combes", cuja violência hoje parece inacreditável, pois o governo chegou ao ponto de ordenar a espoliação dos bens eclesiásticos e a dispersão das congregações. Essa decisão atingiu pessoalmente Huysmans, obrigando-o a abandonar a abadia de Ligugé onde encontrara refúgio; no entanto, isso ocupou um lugar ínfimo em sua obra, e as questões políticas em seu conjunto pareciam deixá-lo perfeitamente indiferente.

Sempre gostei desse capítulo de *À rebours* em que Des Esseintes, depois de planejar uma viagem a Londres, inspirado por uma releitura de Dickens, vê-se preso a uma taberna da rue d'Amsterdam, incapaz de se afastar da mesa. "Uma imensa aversão pela viagem, uma necessidade imperiosa de ficar tranquilo se impunham..." Pelo menos eu tinha conseguido sair de Paris, pelo menos eu tinha chegado ao Lot, pensei, ao contemplar os galhos dos castanheiros balançando suavemente com a brisa. Sabia que fizera o mais difícil: um viajante solitário provoca, primeiro, desconfiança, e até mesmo hostilidade, mas aos poucos as pessoas se habituam, os hoteleiros e donos dos restaurantes acham que, afinal, estão lidando com um excêntrico; pensando bem, com um inofensivo.

Na verdade, quando voltei para meu quarto no início da tarde, a gerente do hotel me cumprimentou com relativa simpatia e me disse que o restaurante reabriria naquela mesma noite. Havia novos clientes, um casal inglês de uns sessenta anos, sendo que o marido, com jeito de intelectual, quem sabe professor universitário, fazia o gênero de quem visita implacavelmente as capelas mais remotas, e é imbatível na arte românica do Quercy e na influência da Escola de Moissac, portanto com essa gente não havia problema.

Tanto a iTélé como a BFM retomavam as consequências políticas do adiamento do segundo turno da eleição presidencial. O diretório político do Partido Socialista estava reunido, o diretório político da Fraternidade Muçulmana estava reunido; até o diretório político da UMP julgara conveniente se reunir. Os jornalistas, multiplicando as transmissões ao vivo nas sedes dos partidos, na rue de Solférino, na rue de Vaugirard e no boulevard Malesherbes, conseguiam bastante bem dissimular o fato de que não dispunham de nenhuma informação real.

Tornei a sair pelas cinco da tarde; a vida parecia pouco a pouco retornar ao vilarejo, a padaria estava aberta, passantes cruzavam a place des Consuls; lembravam mais ou menos o que eu poderia imaginar caso desejasse retratar os moradores de uma pequena aldeia do Lot. No Café des Sports a afluência era fraca, e a curiosidade pela atualidade política parecia ter se extinguido, pois o televisor no fundo da sala estava sintonizado na Télé Monte-Carlo. Eu acabava de terminar minha cerveja quando tive a impressão de reconhecer uma voz. Virei-me: no caixa, Alain Tanneur estava pagando um maço de cigarrilhas Café Crème; levava debaixo do braço um saco da padaria, do qual saía um pão de campanha. O marido de Marie-Françoise também se virou; seu rosto se arredondou numa mímica de surpresa.

Mais tarde, diante de outra cerveja, expliquei-lhe que estava ali por acaso, e contei o que tinha visto no posto de gasolina de Pech-Montat. Ele me escutou com atenção, sem manifestar real surpresa. "Eu já desconfiava...", disse, quando terminei meu relato. "Eu desconfiava que além dos ataques às seções eleitorais tinha havido confrontos dos quais a imprensa não falara; e com certeza houve muitos outros na França..."

Sua própria presença em Martel nada devia ao acaso: possuía uma casa ali, que antes pertencia a seus pais, era um filho da terra, e em Martel contava desfrutar de sua aposentadoria, agora muito próxima. Se o candidato muçulmano fosse eleito, Marie-Françoise tinha certeza de que não retomaria a cátedra, nenhum posto de professor poderia ser ocupado por uma mulher numa universidade islâmica, era uma absoluta impossibilidade. E ele, e seu emprego na DGSI? "Fui posto na rua", ele me disse com uma raiva recalcada.

"Fui posto na rua na sexta-feira de manhã, eu e toda a minha equipe", prosseguiu. "A coisa aconteceu muito depressa, eles nos deram duas horas para liberarmos nossas salas."

"E sabe por quê?"

"Ah, sim! Ah, sim, sei por quê... Na quinta-feira encaminhei um relatório à minha chefia, advertindo-os de que havia o risco de se produzirem incidentes em distintos pontos do país; incidentes cujo objetivo era impedir a realização normal das eleições. Simplesmente, nada fizeram; e fui posto no olho da rua no dia seguinte." Deu-me tempo de digerir a informação antes de concluir: "E então?... E então, a seu ver, que conclusões é possível tirar disso?"

"Você quer dizer que o governo *desejava* que o processo eleitoral fosse interrompido?"

Balançou devagarinho a cabeça. "Isso eu não conseguiria provar perante uma comissão de inquérito... Porque meu relatório não era extremamente preciso. Por exemplo, estava convencido, comparando os memorandos de meus informantes, de que alguma coisa aconteceria em Mulhouse, ou em sua região; mas não podia dizer com absoluta certeza se seria na seção eleitoral de Mulhouse 2, Mulhouse 5, Mulhouse 8..., e proteger todas elas exigiria apelar para meios importantes; e era a mesma coisa em todos os pontos ameaçados. Meus superiores poderiam perfeitamente argumentar que não seria a primeira vez que a DGSI se mostraria exageradamente alarmista; em suma, que teriam corrido um risco admissível. Mas minha convicção, repito, é sensivelmente diferente..."

"Você conhece a origem dessas ações?"

"É exatamente a que você imagina."

"Os identitários?"

"Os identitários, sim, em parte. E também jovens muçulmanos jihadistas; quase que na mesma medida, aliás."

"E acha que têm ligação com a Fraternidade Muçulmana?"

"Não." Sacudiu a cabeça com firmeza. "Passei quinze anos de minha vida investigando o assunto: nunca se conseguiu estabelecer o menor vínculo, o menor contato. Os jihadistas são salafistas transviados, que recorrem à violência em vez de terem confiança na prédica, mas continuam a ser salafistas, e para eles a França é terra de impiedade, *dar al koufr*; para a Fraternidade Muçulmana, ao contrário, a terra já faz potencialmente parte do *dar al islam*. Mas, sobretudo, para os salafistas toda autoridade vem de Deus, o próprio princípio da representação popular é ímpio, nunca pensariam em fundar nem apoiar um partido político. Dito isso, embora sejam fascinados pelo jihad mundial, os jovens extremistas muçulmanos desejam, no fundo, a vitória de Ben Abbes; não acreditam nela, pensam que o jihad é a única via, mas não tentarão impedi-la. E é exatamente o mesmo quanto à Frente Nacional e aos identitários. Para os identitários, a única verdadeira via é a guerra civil; mas alguns andaram próximos da Frente Nacional antes de se radicalizarem, e nada farão para prejudicá-la. Desde suas criações, a Frente Nacional e a Fraternidade Muçulmana optaram pelo caminho das urnas; fizeram a aposta de que conseguiriam chegar ao poder respeitando as regras do jogo democrático. O curioso... e até divertido, se pensarmos bem, é que dias atrás os identitários europeus, assim como os muçulmanos jihadistas, se convenceram, cada um de seu lado, de que o partido oponente ia vencer — e que eles não tinham outra escolha senão interromper o processo eleitoral em andamento."

"E a seu ver quem tinha razão?"

"Quanto a isso, não sei rigorosamente nada." Pela primeira vez ele relaxou e sorriu abertamente. "Há uma espécie de lenda, que data dos antigos Renseignements Généraux, que reza que temos acesso a pesquisas confidenciais, nunca publicadas. É uma coisa meio ingênua... Mas é um pouco verdadeira, também, pois até certo ponto essa tradição se manteve. Pois bem, nesse caso as pesquisas secretas davam exatamente as mesmas previsões que as pesquisa oficiais: meio a meio até o final, com diferença de uns décimos..."

Pedi mais duas cervejas. "Você precisa vir jantar na minha casa", disse Tanneur. "Marie-Françoise ficará contente em vê-lo. Sei que ela anda muito aborrecida por ter de largar o cargo na universidade. Mas para mim tanto faz, de qualquer maneira eu deveria me aposentar daqui a dois anos... É claro que a coisa termina de um jeito meio desagradável; mas receberei a aposentadoria integral, é certo, e talvez uma gratificação extra. Acho que farão de tudo para evitar que eu lhes crie problemas."

O garçom trouxe nossas cervejas e uma tigelinha de azeitonas; agora havia mais gente no bar, gente que falava alto, pelo visto todos se conheciam e alguns cumprimentavam Tanneur passando perto de nossa mesa. Belisquei duas azeitonas, hesitando: havia algo que me escapava, mesmo assim, na sucessão dos acontecimentos; pensando bem, eu podia falar com ele, que talvez tivesse uma ideia sobre o assunto, pois parecia ter ideias sobre muitas coisas; lamentei só ter prestado até agora uma atenção episódica, superficial, à vida política.

"O que não entendo...", falei, depois de um gole de cerveja, "é o que esperavam essas pessoas que invadiram as seções eleitorais. Porque de qualquer maneira as eleições vão se realizar, daqui a uma semana, sob proteção do Exército; e a relação de forças não mudou, o resultado continuará igualmente incerto. A não ser, talvez, que se consiga determinar que os responsáveis pelos incidentes são os identidários, caso em que a Fraternidade Muçulmana se beneficiaria; ou, ao contrário, os muçulmanos, e isso beneficiaria a Frente Nacional."

"Não, isso eu posso lhe dizer com certeza: será impossível provar o que quer que seja, num sentido como no outro; e ninguém tentará. Em compensação, vão acontecer coisas no plano político, provavelmente muito depressa, talvez já amanhã. Uma primeira hipótese é que a UMP se decida a fechar uma aliança eleitoral com a Frente Nacional. A UMP, cá entre nós, já não vale muito, estão em queda livre; mas ainda é suficiente para desequilibrar a balança e mudar a decisão."

"Não sei, não creio muito nisso; me parece que se tivesse de acontecer já teria acontecido, há muitos anos."

"Tem toda razão!...", exclamou com um grande sorriso. "No início, a Frente Nacional estava disposta a tudo para fechar uma aliança com a UMP, para se aliar com uma maioria de governo; e depois, aos poucos, começou a crescer, a subir nas pesquisas; então a UMP começou a ficar com medo. Não de seu populismo, nem de seu suposto fascismo — os dirigentes da UMP não veriam o menor inconveniente em tomar algumas medidas securitárias ou xenófobas, que de qualquer maneira são maciçamente desejadas por seu eleitorado —, bem, pelo que resta dele; mas, na prática, a UMP é agora, de longe, o partido mais fraco da aliança; e estão com medo, se fecharem um acordo, de ser simplesmente aniquilados, absorvidos pelo parceiro. Além disso, há a Europa, e esse é o ponto fundamental. A verdadeira agenda da UMP, como a do PS, é o desaparecimento da França, sua integração num conjunto federal europeu. Seus eleitores, é claro, não aprovam esse objetivo; mas os dirigentes conseguem, há anos, silenciar esse assunto. Se fechassem uma aliança com um partido abertamente antieuropeu, não conseguiriam perseverar nessa atitude; e a aliança não demoraria a ir para o espaço. É por isso que acredito mais numa segunda hipótese: a criação de uma frente republicana, em que a UMP se aliaria, como o PS, à candidatura Ben Abbes — desde que, é claro, houvesse uma participação suficiente no governo, e acordos para as próximas eleições legislativas."

"O que também me parece difícil; quer dizer, muito surpreendente."

"Mais uma vez, tem razão!..." Sorriu de novo, esfregou as mãos, saltava aos olhos que tudo isso o divertia muito. "Mas é difícil por outro motivo: é difícil *porque* é surpreendente; porque isso nunca se viu, desde a Libertação, ao menos. Faz tanto tempo que a oposição esquerda-direita estrutura o jogo político, que nos parece impossível sair dela. Porém, no fundo não há nenhuma dificuldade real; o que separa a UMP e a Fraternidade Muçulmana é menos do que a separa do Partido Socialista. Nós falamos disso, eu me lembro, durante nosso primeiro encontro: se o Partido Socialista finalmente cedeu em relação à Educação Nacional, se chegou a um acordo com a Fraternidade Muçulmana, se sua corrente antirracista conseguiu, internamente, vencer sua corrente laica, foi porque ali estavam absolutamente acuados, estavam no fundo do poço. As coisas serão menos difíceis para a UMP, que está ainda mais perto da desintegração e jamais deu a menor importância para a educação, conceito que lhe é quase alheio. Em compensação, a UMP e o PS precisam se acostumar com a ideia de governar juntos; e isso é para eles absolutamente novo, é exatamente o contrário de tudo o que estrutura suas posições desde que entraram na política. Resta, é claro, uma terceira possibilidade, a de que nada aconteça; a de que nenhum acordo seja feito, e o segundo turno volte a ser jogado exatamente em torno das mesmas posições, e com a mesma incerteza. Em certo sentido, é o mais provável; mas é, também, extremamente inquietante. Primeiro, o resultado final nunca foi tão incerto na história da Quinta República; depois, e sobretudo, nenhuma das duas formações que permanecem em disputa tem a menor experiência em matéria de responsabilidades governamentais, nem no plano nacional nem sequer no local; são, em política, perfeitos amadores."

Terminou a cerveja, fitou-me com seu olhar cintilante de inteligência. Por baixo do paletó príncipe-de-gales usava uma camisa polo; era uma boa pessoa, sem ilusões, e sagaz; devia, tudo indicava, ser assinante da revista *Historia*; eu imaginava muito bem uma coleção encadernada de *Historia* numa estante perto da lareira; provavelmente, com livros mais sofisticados, do gênero bastidores da Françafrique,* ou história dos serviços secretos desde a Segunda Guerra Mundial; talvez já tivesse sido entrevistado pelos autores dessas obras, ou o fosse proximamente, em sua aposentadoria no Quercy; deveria manter silêncio sobre certos assuntos, e se sentiria autorizado a se expressar sobre outros.

"Então, estamos combinados para amanhã à noite?", perguntou depois de fazer sinal ao garçom para pagar. "Passarei no hotel para pegá-lo; Marie-Françoise ficará radiante, de verdade."

Caía a noite na place des Consuls e o sol se pondo tingia com clarões fulvos a pedra amarelada; estávamos defronte do Hôtel de la Raymondie.

"É um vilarejo antigo, não é?", perguntei.

"Muito antigo. E o nome de Martel não lhe foi dado por acaso... Todo mundo sabe que Charles Martel derrotou os árabes em Poitiers, em 732, dando um basta na expansão muçulmana rumo ao norte. É, na verdade, uma batalha decisiva, que marca o verdadeiro início da cristandade medieval; mas as coisas não foram tão claras, os invasores não recuaram imediatamente, e Charles Martel continuou a guerrear contra eles por alguns anos, na Aquitânia. Em 743 conseguiu nova vitória perto

---

* Expressão pejorativa para classificar certas ações da política neocolonial francesa nas ex-colônias africanas. (N. T.)

daqui e resolveu, à guisa de agradecimento, erguer uma igreja; ela portava seu brasão, três martelos entrecruzados. A aldeia foi construída em torno dessa igreja, que em seguida foi destruída, e depois reconstruída no século XIV. É verdade que houve uma profusão de batalhas entre a cristandade e o islã, combater é desde sempre uma das atividades humanas maiores, a guerra é *de nature*, como dizia Napoleão. Mas creio que agora, com o islã, chegou o momento de uma acomodação, de uma aliança."

Estendi-lhe a mão para me despedir. Ele exagerava um pouco em seu papel de veterano dos serviços secretos, velho sábio na aposentadoria etc., mas afinal de contas sua demissão tinha sido bem recente, compreendia-se que precisasse de tempo para se acostumar com o novo personagem. Seja como for, eu estava radiante em ser convidado para a casa dele no dia seguinte, já podia ter certeza de que o porto seria de boa qualidade e também confiava bastante na comida, pois ele não era do gênero de levar na brincadeira a gastronomia.

"Olhe a tevê amanhã, acompanhe as atualidades políticas…", disse-me logo antes de ir embora. "Posso apostar que vai acontecer alguma coisa."

*Terça-feira, 31 de maio.*

A notícia estourou, na verdade, pouco depois das duas da tarde: a UMP, a UDI e o PS tinham se entendido para fechar um acordo de governo, uma "frente ampla republicana", e se aliavam ao candidato da Fraternidade Muçulmana. Muito excitados, os jornalistas dos canais de notícias se mobilizaram a tarde toda a fim de tentar saber um pouco mais sobre as condições do acordo e a repartição dos ministérios, conseguindo sempre a mesma resposta sobre a inutilidade das considerações partidárias, a urgência da unidade nacional e a de curar as feridas de um país dividido etc. Tudo isso era perfeitamente esperado, previsível; menos, porém, era o retorno de François Bayrou ao primeiro plano da cena política. Na verdade, ele aceitara uma dobradinha com Mohammed Ben Abbes: este se comprometera a nomeá-lo primeiro-ministro se saísse vitorioso da eleição presidencial.

O velho político bearnense, derrotado em praticamente todas as eleições que disputara nos últimos trinta anos, se empenhava em cultivar uma imagem de *estatura*, com a cumplicidade de diversas revistas; isso quer dizer que se fazia regularmente fotografar apoiado num cajado de pastor, vestindo uma pelerine à Justin Bridou,* numa paisagem mista de pradarias e campos cultivados, em geral no Labourd. A imagem que tentava promover em suas múltiplas entrevistas era aquela, gaulliana, do *homem que disse não*.

---

* Marca muito popular de salames e linguiças cujo logotipo é Justin Bridou, estereótipo de um francês, de bigode e boina. (N. T.)

"É uma ideia genial, Bayrou, absolutamente genial!...", exclamou Alain Tanneur assim que me viu, literalmente trepidando de entusiasmo. "Confesso que nunca teria pensado nisso; ele é realmente muito bom, esse Ben Abbes..."

Marie-Françoise me recebeu com um largo sorriso; não só tinha uma fisionomia contente ao me ver, como parecia, em geral, em plena forma. Ao vê-la atarefada em sua bancada, vestindo um avental de cozinha humorístico do gênero: "Não esculache a cozinheira, o patrão já faz isso", a gente custava a crer que dias antes ela era responsável por cursos de doutorado sobre as circunstâncias bem particulares em que Balzac corrigira as provas de *Béatrix*. Ela preparara umas tortinhas de pescoço de pato com echalota, deliciosas. Seu marido, muito excitado, abriu, uma após outra, uma garrafa de Cahors e uma de Sauternes, antes de se lembrar que eu devia de qualquer maneira provar seu porto. Por ora eu não via, nem de longe, em que o retorno de François Bayrou à arena política podia ser qualificado de *ideia genial*; mas Tanneur não demoraria a desenvolver seu argumento, eu tinha certeza. Marie-Françoise o observava com benevolência, claramente aliviada em ver o marido encarar tão bem a demissão, assumir com tanta facilidade o novo papel de *estrategista de pijama* — que ele poderia desempenhar perante o prefeito, o médico, o tabelião, enfim, perante todos os figurões locais, ainda muito presentes nesses grandes burgos de província, junto aos quais ele continuaria a estar aureolado por uma carreira nos serviços secretos. De fato, a aposentadoria deles apresentava-se sob os melhores auspícios.

"O extraordinário em Bayrou, o que o torna insubstituível", prosseguiu Tanneur, entusiasmado, "é que ele é perfeitamente estúpido, seu projeto político sempre se limitou ao próprio desejo de alcançar por qualquer meio a 'magistratura suprema', como se diz; nunca teve nem sequer fingiu ter a menor ideia pessoal; a tal ponto, isso é bastante raro. E o torna o político ideal para encarnar a noção de humanismo, tanto mais que ele se acha um Henrique IV e um grande pacificador do diálogo inter-religioso; aliás, goza de excelente imagem junto ao eleitorado católico, tranquilizado por sua idiotice. É exatamente disso que precisa Ben Abbes, que deseja antes de mais nada encarnar um novo humanismo, apresentar o islã como uma forma acabada de um humanismo novo, reunificador, e que, por sinal, é perfeitamente sincero quando proclama seu respeito pelas três religiões do Livro."

Marie-Françoise nos convidou para passarmos à mesa; preparara uma salada de favas acompanhada de dentes-de-leão e lascas de parmesão. Estava uma delícia, tanto assim que por instantes perdi o fio do discurso do marido. Os católicos tinham praticamente desaparecido da França, ele prosseguiu, mas continuavam a parecer envoltos numa espécie de magistério moral; em todo caso, Ben Abbes fez tudo, desde o início, para cair em suas boas graças: no ano passado, fora nada menos que três vezes ao Vaticano. Dotado, simplesmente por suas origens, de uma aura terceiro-mundista, soube, porém, tranquilizar o eleitorado conservador. Ao contrário de seu antigo rival Tariq Ramadan, amarrado às suas ligações trotskistas, Ben Abbes sempre evitara comprometer-se com a esquerda anticapitalista; a direita liberal ganhara a "batalha das ideias", ele entendera perfeitamente isso, os jovens tinham se tornado *empreendedores*, e o caráter insuperável da economia de mercado era, agora, unanimemente admitido. Mas, sobretudo, o verdadeiro lance de gênio do líder muçulmano foi entender que as eleições não se disputariam no terreno da economia, e sim no dos valores; e aí, também, a direita se prepararia para ganhar a "batalha das ideias", sem nem sequer, aliás, precisar combater. Ali onde

Ramadan apresentava a charia como uma opção inovadora, e até revolucionária, ele lhe restituía seu valor pacífico, tradicional — com um perfume de exotismo que a tornava, para completar, desejável. Quanto à restauração da família, da moral tradicional e, implicitamente, do patriarcado, abria-se uma avenida diante dele, que a direita não podia palmilhar, a Frente Nacional também não, sem serem qualificadas de reacionárias, e até de fascistas pelos últimos remanescentes de Maio de 68, múmias progressistas moribundas, sociologicamente exangues mas refugiadas em cidadelas midiáticas de onde continuavam capazes de lançar imprecações sobre a desgraça dos tempos e *o ambiente nauseabundo* que se espalhava pelo país; só ele estava ao abrigo de qualquer perigo. Paralisada por seu antirracismo constitutivo, a esquerda foi desde o início incapaz de combatê-lo, e até de mencioná-lo.

Marie-Françoise nos serviu em seguida pernil de cordeiro confitado acompanhado de batatas salteadas, e eu começava a perder o pé. "Mas, ainda assim, é um muçulmano...", retruquei, confuso.

"Sim! E daí?..." Ele me observou, radioso. "É um muçulmano *moderado*, este é o ponto central: ele mesmo o afirma constantemente, e é verdade. Não se deve representá-lo como um talibã nem como um terrorista, seria um erro grosseiro; ele sempre desprezou essa gente. Quando os menciona, nos artigos da página de opinião do *Le Monde*, além da reprovação moral que demonstra percebe-se muito bem esse toque de desprezo; no fundo, considera os terroristas uns *amadores*. Ben Abbes é, na verdade, um político extremamente hábil, talvez o mais hábil e mais astuto que tivemos na França desde François Mitterrand; e, ao contrário de Mitterrand, tem uma verdadeira visão histórica."

"Em suma, você pensa que os católicos nada têm a temer."

"Não só não têm nada a temer, como têm muito a esperar! Sabe...", deu um sorriso de desculpa, "faz dez anos que me debruço sobre o caso de Ben Abbes, posso dizer sem exagero que sou uma das pessoas na França que melhor o conhece. Dediquei praticamente toda minha carreira a vigiar os movimentos islâmicos. O primeiro caso em que trabalhei — na época eu era muito moço, ainda era aluno em Saint-Cyr-au-Mont-d'Or — foram os atentados de 1986 em Paris, sobre os quais afinal se descobriu que tinham sido orquestrados pelo Hezbollah, e indiretamente pelo Irã. Em seguida, houve os argelinos, os kosovares, os movimentos mais diretamente ligados à Al Qaeda, os lobos solitários... A coisa nunca parou, sob formas diversas. Necessariamente, quando a Fraternidade Muçulmana foi criada, ficamos de olho neles. Levamos anos para nos convencer de que se Ben Abbes tinha de fato um projeto, e até um projeto extremamente ambicioso, este não tinha nada a ver com o fundamentalismo islâmico. Espalhou-se a ideia nos círculos da ultradireita de que, quando os muçulmanos chegassem ao poder, os cristãos seriam necessariamente reduzidos a um estatuto de *dhimmis*, cidadãos de segunda classe. De fato, a dhimmitude faz parte dos princípios gerais do islã; mas na prática o estatuto de *dhimmi* é extremamente flexível. O islã tem uma extensão geográfica enorme; a maneira como é praticado na Arábia Saudita não tem nada a ver com o que se encontra na Indonésia, ou no Marrocos. Quanto à França, estou absolutamente convencido — e disposto a bancar a aposta — de que não só nenhum entrave será imposto ao culto cristão, como os subsídios alocados às associações católicas e à manutenção dos edifícios religiosos serão aumentados; eles podem se permitir isso, pois as verbas alocadas às mesquitas pelas petromonarquias serão consideráveis. E, mais ainda, o verdadeiro inimigo dos muçulmanos, aquele que temem e odeiam acima de tudo não é o catolicismo: é o secularismo, a laicidade, o materialismo ateu. Para eles os católicos são crentes, o catolicismo é uma religião do Livro; trata-se apenas de convencê-los a dar mais um passo, a se converterem ao islã: esta é a verdadeira visão muçulmana da cristandade, a visão original."

"E os judeus?" A pergunta me escapou, eu não previa fazê-la. A imagem de Myriam em minha cama, de camiseta, na última manhã, a imagem de sua bundinha redonda me cruzou rapidamente o espírito; me servi de mais um grande copo de Cahors.

"Ah..." Ele sorriu de novo. "No caso dos judeus, obviamente é um pouco mais complicado. Em princípio, a teoria é a mesma, o judaísmo é uma religião do Livro. Abraão e Moisés são reconhecidos como profetas do islã; mas, na prática, nos países muçulmanos as relações com os judeus costumavam ser mais difíceis do que com os cristãos; e depois, é claro, a questão palestina envenenou tudo. Portanto, há certas correntes minoritárias dentro da Fraternidade Muçulmana que desejariam aplicar medidas de retaliação contra os judeus; mas acho, também aqui, que elas não têm a menor chance de se impor. Ben Abbes sempre tentou manter boas relações com o grande rabino da França; talvez ele deixe, de vez em quando, as rédeas meio soltas no pescoço de seus extremistas; porque se pensa realmente conseguir conversões maciças entre os cristãos — e nada prova que seja impossível — tem pouquíssimas ilusões sobre isso no que se refere aos judeus. Acho que, no fundo, espera que eles próprios resolvam sair da França, emigrar para Israel. Seja como for, o que posso lhe garantir é que ele não tem a menor intenção de comprometer suas ambições pessoais — que são enormes — pelos belos olhos do povo palestino. Espantosamente, pouca gente leu o que ele escreveu em seus começos — é verdade que isso era publicado em revistas quase obscuras de geopolítica. Mas sua grande referência, que salta aos olhos, é o Império romano, e a consolidação europeia é para ele apenas um meio de realizar essa ambição milenar. O principal eixo de sua política externa será deslocar para o Sul o centro de gravidade da Europa; já existem organizações que perseguem esse objetivo, como a União para o Mediterrâneo. Os primeiros países capazes de se agregar à essa construção europeia serão, com certeza, Turquia e Marrocos; depois virão Tunísia e Argélia. A mais longo prazo, há o Egito — é um osso mais duro de roer, mas seria decisivo. Paralelamente, pode-se pensar que as instituições da Europa, que atualmente são tudo menos democráticas, evoluirão para mais consultas populares; a saída lógica seria a eleição pelo sufrágio universal de um presidente europeu. Nesse contexto, a integração à Europa de países já muito populosos, e com demografia dinâmica, como Turquia e Egito, poderia desempenhar um papel decisivo. A verdadeira ambição de Ben Abbes, estou convencido, é se tornar a longo prazo o primeiro presidente eleito da Europa — de uma Europa ampliada, incluindo os países do entorno Mediterrâneo. É preciso lembrar que ele tem apenas quarenta a três anos — embora, para sossegar o eleitorado, se esforce em aparentar mais, cultivando sua barriguinha e se recusando a pintar o cabelo. Em certo sentido, a velha Bat Ye'or não está errada com sua fantasia de complô da Eurábia; mas se engana redondamente quando imagina que o conjunto euromediterrâneo estará, em relação às monarquias do Golfo, em posição de inferioridade: estaremos lidando com uma das primeiras potências econômicas mundiais, que serão perfeitamente capazes de se tratar de igual para igual. É um jogo curioso que se joga neste momento entre a Arábia Saudita e as outra petromonarquias: Ben Abbes está disposto a se aproveitar, sem o menor escrúpulo, de seus petrodólares; mas não tem a mínima intenção de aceitar um abandono qualquer de soberania. Em certo sentido, apenas retoma a ambição de De Gaulle de uma grande política árabe da França, e garanto que não lhe faltam aliados, até mesmo, aliás, nas monarquias do Golfo, cujo alinhamento com as posições americanas as obriga a engolir um bocado de sapos, colocando-as permanentemente em posição ambígua diante da opinião pública árabe, que por isso começam a pensar que um aliado como a Europa, menos organicamente ligado a Israel, poderia ser uma opção bem melhor..."

Calou-se; falara sem interrupção por mais de meia hora. Eu conjecturava se ele ia escrever um livro, agora que estava na aposentadoria, se tentaria pôr suas ideias no papel. Achava interessante sua exposição; quer dizer, para quem se interessa por história, é claro. Marie-Françoise trouxe a sobremesa, um folhado de maçã e nozes à moda das Landes. Fazia muito tempo que eu não comia tão bem. Depois do jantar, a coisa a fazer era passar para o salão e degustar um excelente Armagnac; foi exatamente o que fizemos. Amolecido pelo aroma do álcool, observando o crânio lustrado do ex-espião, seu cardigã xadrez, eu me perguntei o que ele pensava, ele mesmo, lá no fundo. O que pode pensar alguém que dedicou toda a vida a investigar *o que está por baixo do pano*? Provavelmente nada, e imagino que nem sequer votava; sabia coisas demais.

"Se entrei para os serviços secretos franceses", recomeçou em tom mais calmo, "foi, claro, porque fiquei fascinado, em criança, pelos relatos de espionagem; mas também, acho, porque herdei o patriotismo de meu pai, algo que me impressionava nele. Nasceu em 1922, imagine! Há exatos cem anos!... Engajou-se na Resistência desde o início, desde o fim de junho de 1940. Já em sua época o patriotismo francês era uma ideia meio depreciada — dá para dizer que nasceu em Valmy em 1792 e começou a morrer nas trincheiras de Verdun em 1917. Um pouco mais de um século, no fundo é pouco. Hoje, quem acredita nisso? A Frente Nacional finge que acredita, é verdade, mas há algo tão incerto, tão desesperado na crença deles; os outros partidos pura e simplesmente optaram pela dissolução da França na Europa. Ben Abbes também acredita na Europa, até mais que todos os outros, mas ele é diferente, tem uma ideia própria da Europa, um verdadeiro projeto de civilização. Seu modelo último, no fundo, é o imperador Augusto; não é um modelo medíocre. Os discursos de Augusto no Senado são conhecidos, sabe, e tenho certeza de que ele os estudou atentamente." Calou-se, e acrescentou, cada vez mais pensativo: "Poderia ser uma grande civilização, não sei... Conhece Rocamadour?", perguntou-me de chofre, quando eu começava a cochilar um pouco, e respondi que não, que achava que não, bem, talvez sim, pela televisão.

"Tem que ir lá. Fica só a uns vinte quilômetros; tem que ir lá de qualquer maneira. A peregrinação a Rocamadour era uma das mais famosas da cristandade, sabe. Henrique Plantageneta, são Domingos, são Bernardo, são Luís, Luís XI, Filipe, o Belo... todos foram se ajoelhar aos pés da Virgem negra, todos escalaram, de joelhos, os degraus que levam ao santuário, orando humildemente pelo perdão de seus pecados. Em Rocamadour você de fato poderá avaliar a que ponto a cristandade medieval era uma grande civilização."

Frases de Huysmans sobre a Idade Média me voltavam vagamente à memória, aquele Armagnac estava uma delícia, eu pensava em lhe responder mas me dei conta de que era incapaz de articular um pensamento claro. Para minha grande surpresa, com voz firme e bem ritmada ele começou a recitar Péguy:

*Felizes os que morreram pela terra carnal,*
*Mas contanto que tenha sido em justa guerra.*
*Felizes os que morreram por quatro palmos de terra.*
*Felizes os que morreram de morte solene.*

É muito difícil compreender os outros, saber o que se esconde no fundo de seus corações, e sem a presença do álcool talvez fosse totalmente impossível. Era surpreendente e comovente ver aquele velho homem arrumadinho, bem-cuidado, culto e irônico se pôr a declamar poemas:

*Felizes os que morreram nas grandes batalhas,*
*Deitados no solo e olhando para Deus.*
*Felizes os que morreram num derradeiro santuário,*
*Com todo o aparato dos grandes funerais.*

Balançou a cabeça resignado, quase com tristeza. "Está vendo, desde a segunda estrofe, para dar suficiente amplidão a seu poema, ele deve evocar Deus. Por si só a ideia de pátria não basta, deve estar ligada a algo mais forte, a uma mística de ordem superior; e esse laço, ele o exprime muito claramente, já nos versos seguintes:

*Felizes os que morreram por cidades carnais,*
*Pois elas são o corpo da cidade de Deus.*
*Felizes os que morreram por sua lareira e seu fogo,*
*E pelas pobres honras das casas paternas.*

*Pois elas são a imagem e o começo*
*E o corpo e o ensaio da casa de Deus.*
*Felizes os que morreram nesse abraço,*
*Nesse estreitamento de honra e na confissão terrena.*

"A Revolução Francesa, a República, a pátria..., sim, isso pode ter gerado alguma coisa; alguma coisa que durou um pouco mais de um século. A cristandade medieval, de seu lado, durou mais de um milênio. Sei que você é um especialista de Huysmans, Marie-Françoise me contou. Mas a meu ver ninguém sentiu a alma da Idade Média cristã com tanta força como Péguy, por mais republicano, laico, dreyfusard que fosse. E o que também sentiu é que a verdadeira divindade da Idade Média, o coração vivo de sua devoção, não é o Pai, nem mesmo Jesus Cristo; é a Virgem Maria. E isso você também sentirá em Rocamadour..."

Eu sabia que eles pensavam em voltar para Paris no dia seguinte ou dois dias depois, para preparar a mudança. Agora que os acordos de governo da frente ampla republicana estavam fechados, os resultados do segundo turno não deixavam nenhuma dúvida, e a aposentadoria deles se tornara uma certeza. Ao me despedir, depois de felicitar sinceramente Marie-Françoise por seus talentos culinários, cumprimentei o marido na soleira da porta. Ele bebera tanto quanto eu e continuava capaz de recitar de cor estrofes inteiras de Péguy, no fundo me impressionava um pouco. De meu lado, eu não estava convencido de que a república e o patriotismo pudessem ter "gerado alguma coisa", a não ser uma sucessão ininterrupta de guerras estúpidas, mas, seja como for, Tanneur nem de longe estava gagá, e quem me dera estar na mesma situação quando chegasse à idade dele. Desci os poucos degraus que levavam ao nível da rua, virei-me para ele e disse: "Irei a Rocamadour."

A temporada turística ainda não estava no auge, e foi fácil encontrar um quarto no hotel Beau Site, agradavelmente situado na cidade medieval; o restaurante panorâmico dominava o vale do Alzou. O local era, de fato, impressionante, e extremamente visitado. A permanente renovação dos turistas vindos dos quatro cantos do mundo, todos um pouco diferentes, todos um pouco semelhantes, de câmera na mão, percorrendo deslumbrados aquele emaranhado de torres, caminhos de ronda, oratórios e capelas que escalavam a falésia, me deu, alguns dias depois, a impressão de uma espécie de saída do tempo histórico e mal e mal reparei, na noite do segundo domingo das eleições, na ampla vitória de Mohammed Ben Abbes. Deixei-me lentamente invadir pela inação sonhadora e, ainda que dessa vez a internet do hotel funcionasse perfeitamente, eu me preocupava bem pouco com o silêncio prolongado de Myriam. Para o hoteleiro e os funcionários, agora eu estava catalogado: um solteiro, um solteiro um pouco culto, um pouco triste, sem maiores distrações — e no fundo era uma descrição exata. Bem, para eles eu era o tipo de cliente que não cria problemas, e isso era o essencial.

Talvez fizesse uma ou duas semanas que eu estava em Rocamadour quando recebi, enfim, um e-mail dela. Falava-me muito de Israel, do ambiente peculiar que reinava — extraordinariamente dinâmico e alegre, mas sempre com um fundo subjacente de tragédia. Podia parecer estranho, ela me dizia, abandonar um país — a França — porque se temia o risco de hipotéticos perigos e emigrar para um país onde os perigos nada tinham de hipotéticos — um ramo dissidente do Hamas acabava de decidir lançar uma nova série de ações, e todo dia ou quase camicases recheados de explosivos iam para os ares em restaurantes e ônibus. Era estranho, mas estando ali conseguia-se compreender isso: porque Israel estava em guerra desde a origem, os atentados e combates pareciam, de certa forma, inevitáveis, naturais, ou pelo menos não impediam que se aproveitasse a vida. Anexou ao e-mail duas fotos dela, de biquíni, na praia de Tel-Aviv. Numa das fotos, tirada de três quartos, de costas, quando se lançava no mar, dava para ver muito bem suas nádegas, e comecei a ficar de pau duro, tinha uma vontade irresistível de bolinálas, sentia minhas mãos percorridas por um formigamento doloroso; era incrível como me lembrava bem de sua bundinha.

Ao desligar o computador tomei consciência de que em nenhum momento ela falava de um eventual regresso à França.

Desde o início de minha temporada peguei o costume de ir todo dia à capela Notre-Dame, e sentar uns minutos diante da Virgem negra — aquela mesma que fazia mil anos inspirava tantas peregrinações, diante da qual tinham se ajoelhado tantos santos e reis. Era uma estátua estranha, que testemunhava um universo inteiramente desaparecido. A Virgem estava sentada muito ereta; seu rosto de olhos cerrados, tão distante que parecia extraterrestre, era coroado por um diadema. O Menino Jesus — que para falar a verdade não tinha nada das feições de menino, e sim de adulto, e até de velho — sentava-se, também muito ereto, em seu colo; também de olhos cerrados, e seu rosto anguloso, sensato e poderoso também trazia ao alto uma coroa. Não havia nenhuma ternura, nenhuma entrega maternal em suas atitudes. Não era o Menino Jesus que estava representado; já era o rei do mundo. Sua serenidade, a impressão de força espiritual, de potência intangível que transmitia eram quase assustadoras.

Essa representação sobre-humana era o extremo oposto do Cristo torturado e sofredor que Matthias Grünewald representara e que tanto impressionara Huysmans. A Idade Média de Huysmans era a da idade gótica, e até do gótico tardio: patética, realista e moral, já estava próxima do Renascimento, mais que da era românica. Lembrei-me de uma discussão que tivera, anos antes, com um professor de história da Sorbonne. No início da Idade Média, ele me explicara, a questão do julgamento individual quase não se apresentava; foi bem mais tarde, em Jeronimus Bosch por exemplo, que apareceram essas representações horripilantes em que Cristo separa a coorte dos eleitos e a legião dos condenados; em que diabos arrastam os pecadores não arrependidos para os suplícios do inferno. A visão românica era diferente, bem mais unanimista; ao morrer, o crente entrava num estado de sono profundo e se misturava à terra. Uma vez realizadas todas as profecias, na hora do segundo advento de Cristo era todo o povo cristão, unido e solidário, que se levantava do túmulo, ressuscitado em seu corpo glorioso, para ir em marcha rumo ao paraíso. O julgamento moral, o julgamento individual, a individualidade em si mesma não eram noções claramente compreendidas pelos homens da era românica, e eu também sentia minha individualidade se dissolver, durante meus devaneios cada vez mais prolongados diante da virgem de Rocamadour.

No entanto, de fato eu precisava voltar para Paris, já estávamos em meados de julho, já fazia mais de um mês que eu estava ali, foi o que percebi certa manhã, com uma surpresa incrédula; a bem da verdade, não era urgente, pois recebera um e-mail de Marie-Françoise, que entrara em contato com outros colegas: ninguém até agora recebera a menor mensagem das autoridades universitárias, a indefinição era total. Num plano mais geral, tinham acontecido as eleições legislativas, com os resultados previsíveis, e um governo fora formado.

Começavam a haver programações turísticas no vilarejo, sobretudo gastronômicas mas também culturais, e na véspera de minha partida, quando eu fazia a visita diária à capela Notre-Dame, deparei-me por acaso com uma leitura de Péguy. Instalei-me na penúltima fila; a assistência era um pouco esparsa, composta sobretudo de jovens de jeans e camisa polo, e todos tinham esse rosto confiante e fraterno que conseguem exibir, não sei como, os jovens católicos.

*Mãe, eis aqui vossos filhos que tanto lutaram.*
*Que não sejam avaliados como se avalia um espírito.*
*Que sejam, antes, julgados como se julga um proscrito*
*Que retorna escondendo-se por caminhos perdidos.*

Os versos ressoavam com regularidade no ar calmo e eu me perguntava o que aqueles jovens católicos humanitários conseguiam, afinal, entender de Péguy, de sua alma patriótica e violenta. Seja como for, a dicção do ator era notável, parecia-me aliás que se tratava de um ator de teatro conhecido, devia pertencer à Comédie Française, mas também devia ter atuado em filmes, eu tinha a impressão de já ter visto sua foto em algum lugar.

*Mãe, eis aqui vossos filhos em seu imenso exército.*
*Que não sejam julgados só por sua miséria.*
*Que Deus ponha junto com eles um pouco desta terra*
*Que tanto os perdeu e que eles tanto amaram.*

Era um ator polonês, agora eu tinha certeza, mas ainda não me lembrava de seu nome; talvez também fosse católico, certos atores são, é verdade que exercem uma profissão muito estranha, em que a ideia de intervenções da providência pode parecer, mais que várias outras, plausível. E aqueles jovens católicos, será que gostam da terra deles? Estariam dispostos, por ela, a se perder? Eu mesmo me sentia disposto a me perder, não por minha terra especialmente, sentia-me disposto a me perder *em geral*, bem, sentia-me num estado estranho, a Virgem me parecia subir, elevar-se de seu pedestal e crescer na atmosfera, o Menino Jesus parecia prestes a se separar dela, e minha impressão era a de que agora lhe bastaria erguer o braço direito e os pagãos e idólatras seriam destruídos, e as chaves do mundo lhe seriam entregues "na qualidade de senhor, na qualidade de possuidor e na qualidade de mestre".

*Mãe, eis aqui vossos filhos que tanto se perderam.*
*Que não sejam julgados por uma baixa intriga,*
*Que sejam reintegrados como o menino pródigo.*
*Que venham desabar entre dois braços estendidos.*

Talvez também, muito simplesmente, eu estivesse com fome, na véspera esquecera de comer e talvez fosse melhor voltar para o hotel, sentar à mesa diante de umas coxas de pato em vez de desabar entre dois bancos, vítima de uma crise de hipoglicemia mística. Mais uma vez repensei em Huysmans, nos sofrimentos e nas dúvidas de sua conversão, em seu desejo desesperado de se incorporar a um rito.

Fiquei até o final da leitura, mas no fim percebi que, apesar da grande beleza do texto, teria preferido, para minha última visita, estar sozinho. Naquela estátua severa estava em jogo outra coisa muito diferente do que a ligação a uma pátria, a uma terra, ou do que a celebração da coragem viril do soldado; ou até mesmo o desejo, infantil, de ter uma mãe. Havia ali algo misterioso, sacerdotal e régio, que Péguy não tinha condições de entender, e Huysmans menos ainda. Na manhã seguinte, depois de carregar a mala até o carro, depois de pagar o hotel, voltei à capela Notre-Dame, agora deserta. A Virgem esperava na sombra, calma e intocada. Possuía a soberania, possuía a força, mas aos poucos senti que perdia o contato, que ela se afastava no espaço e nos séculos, enquanto eu me encolhia em meu banco, encarquilhado, recolhido. Meia hora depois me levantei, definitivamente desertado pelo Espírito, reduzido a meu corpo estragado, perecível, e tornei a descer tristemente os degraus em direção ao estacionamento.

# IV

Ao voltar para Paris, quando passei a barreira do pedágio de Saint-Arnoult, deixando para trás Savigny-sur-Orge, Antony e depois Montrouge, desviando para a saída da porte d'Italie, sabia que ia ao encontro de uma vida sem alegria mas não vazia, povoada ao contrário de leves agressões: como eu esperava, alguém se aproveitara de minha ausência para ocupar o lugar da garagem do prédio que me era reservado; um pequeno vazamento aparecera perto da geladeira; não havia outro incidente doméstico. Minha caixa de correio estava cheia de cartas administrativas variadas, sendo que algumas exigiriam resposta rápida. A manutenção de uma vida administrativa correta exige uma presença mais ou menos constante, qualquer afastamento prolongado traz o risco de nos deixar em situação delicada junto a este ou aquele organismo, eu sabia que precisaria de vários dias de trabalho para repor as coisas nos eixos. Fiz uma triagem sumária, jogando fora as publicidades mais insípidas, conservando as ofertas mais focadas (três dias de loucura do Office Dépôt, descontos exclusivos do Cobrason), antes de transferir meu olhar para o céu uniformemente cinza. Fiquei assim algumas horas, me servindo regularmente de doses de rum, antes de atacar a pilha de cartas. As duas primeiras, vindas de meu seguro de saúde, me informavam a impossibilidade de atender a certos pedidos de reembolso, e me convidavam a reenviá-los juntando fotocópias dos devidos documentos; para mim, tratava-se de correspondência habitual, que eu me acostumara a deixar sem resposta. A terceira carta, em compensação, me reservava uma surpresa. Vinda da prefeitura de Nevers, dirigia-me os mais sinceros pêsames pelo falecimento de minha mãe, e me informava que o corpo fora transferido para o Instituto Médico-Legal da cidade, que me cabia contatar para tomar as providências cabíveis; a carta era datada de terça-feira, 31 de maio. Percorri rapidamente a pilha: havia mais uma carta sobre o caso, do dia 14 de junho, e outra do dia 28. Finalmente, no dia 11 de julho a prefeitura de Nevers me informava que, conforme o artigo L 2223-27 do Código Geral das Coletividades Territoriais, o município se responsabilizara pela inumação de minha mãe no setor de covas rasas do cemitério da cidade. Eu dispunha de um prazo de cinco anos para proceder à exumação do corpo em vista de uma sepultura própria; ao fim desse prazo ele seria incinerado, e as cinzas, espalhadas num jardim da saudade. Caso eu solicitasse a exumação, teria de arcar com as despesas feitas pela municipalidade — um carro fúnebre, quatro coveiros, e as despesas propriamente ditas do sepultamento.

Sem dúvida, eu não imaginava minha mãe levando uma vida social intensa, assistindo a conferências sobre as civilizações pré-colombianas ou percorrendo as igrejas românicas do Nivernais em companhia de outras mulheres de sua idade; mas tampouco esperava uma solidão assim tão total. É provável que meu pai também tivesse sido contatado, e devia ter deixado as cartas sem resposta. Seja como for, era constrangedor pensar que ela fora enterrada no terreno dos indigentes (era, como me mostrou uma pesquisa na internet, o nome antigamente usado para o setor de covas rasas) e me perguntei que fim teria levado seu buldogue francês (Sociedade Protetora dos Animais? Eutanásia direta?)

Em seguida, fui para o lado das faturas e avisos de débito automático, documentos fáceis, que bastaria classificar nas pastas respectivas, a fim de isolar as correspondências de meus dois interlocutores essenciais, estes que estruturam a vida de um homem: o seguro de saúde e as repartições fiscais. Não tinha coragem de me debruçar sobre isso de imediato, e resolvi dar uma volta em Paris — bem, Paris talvez não, era um exagero, ia me limitar, para esse primeiro dia, a um passeio pelo bairro.

Ao chamar o elevador, tomei consciência de que não tinha recebido nenhuma correspondência das autoridades universitárias. Voltei atrás para consultar meus extratos bancários: o salário tinha sido depositado, perfeitamente normal, no fim de junho; portanto, meu estatuto continuava igualmente incerto.

A mudança de regime político não deixara rastro visível no bairro. Grupos compactos de chineses continuavam se amontoando em torno das salas de turfe, com as cédulas de aposta na mão. Outros empurravam à toda os carrinhos de mão, transportavam arroz, molho de soja, mangas. Nada, nem mesmo um regime muçulmano, parecia capaz de frear suas atividades incessantes — o proselitismo islâmico, assim como a mensagem cristã antes dele, provavelmente se dissolveria sem deixar rastros no oceano daquela civilização imensa.

Percorri Chinatown por pouco mais de uma hora. A paróquia Saint-Hippolyte continuava a oferecer seus cursos de iniciação ao mandarim e à cozinha chinesa; os prospectos para as festas *Asia Fever* da Maisons-Alfort não tinham desaparecido. Na verdade, não descobri outro sinal de transformação visível além do desaparecimento da seção casher do Géant Casino; mas os supermercados sempre se caracterizaram pelo oportunismo.

A coisa era um pouco diferente no shopping Italie 2. Como eu pressentia, a butique Jennyfer tinha desaparecido, substituída por uma espécie de loja de produtos orgânicos provençais propondo óleos essenciais, xampu de óleo de oliva e mel com aromas de charneca. Menos inexplicável, talvez apenas por motivos econômicos, a filial de L'Homme Moderne, numa zona bem deserta do segundo andar, também fechara as portas, sem por ora ter sido substituída. Mas era sobretudo o próprio público que tinha sutilmente mudado. Como todos os shoppings — embora, é claro, de maneira muito menos espetacular que os de La Défense ou dos Halles —, o Italie 2 atraíra desde sempre uma quantidade notável de gentinha; esta tinha desaparecido por completo. E as roupas femininas tinham se transformado, senti de imediato, sem conseguir analisar a transformação; o número de véus islâmicos havia aumentado um pouco, mas não era isso, e levei quase uma hora perambulando até captar, de um só golpe, o que mudara: todas as mulheres estavam de calças compridas. A detecção das coxas femininas, a projeção mental reconstruindo a bucetinha em sua interseção, processo cujo poder de excitação é diretamente proporcional ao comprimento das pernas nuas: tudo isso era em mim tão involuntário e mecânico, de certa forma genético, que não percebi imediatamente, mas o fato estava ali, os vestidos e as saias tinham desaparecido. Uma nova roupa também tinha se disseminado, uma espécie de blusa comprida de algodão, parando no meio da coxa, que tirava todo o interesse objetivo das calças justas que certas mulheres poderiam eventualmente usar; quanto aos shorts, é claro que estavam fora de discussão. A contemplação da bunda das mulheres, mínimo consolo sonhador, também se tornara impossível. Uma transformação, portanto, estava indubitavelmente a caminho; começara a se produzir um deslocamento objetivo. Algumas horas zapeando pelos canais da TNT não me permitiram detectar nenhuma mutação extra; de qualquer maneira, já fazia muito tempo que os programas eróticos tinham saído de moda na televisão.

Foi só duas semanas depois de meu regresso que recebi a carta de Paris III. Os novos estatutos da universidade islâmica Paris-Sorbonne me proibiam prosseguir minhas atividades de ensino; Robert Rediger, o novo reitor da universidade, assinava pessoalmente a carta; manifestava-me seu profundo pesar e me garantia que a qualidade de meus trabalhos universitários não estava de jeito nenhum em causa. É claro que me era perfeitamente possível prosseguir minha carreira numa universidade laica; se todavia eu preferisse renunciar a essa hipótese, a universidade islâmica Paris-Sorbonne se comprometia a me pagar desde já uma aposentadoria cujo montante mensal seria indexado pela inflação e elevava-se neste momento a 3.472 euros. Eu podia agendar uma ida aos serviços administrativos a fim de tomar as providências necessárias.

Reli a carta três vezes antes de conseguir acreditar. Era, um euro a mais ou a menos, o que eu receberia se fosse me aposentar aos sessenta e cinco anos, tendo chegado ao fim da carreira. Realmente, eles estavam dispostos a imensos sacrifícios financeiros para evitar fazer onda. Provavelmente exageraram muito a ação deletéria dos professores universitários, sua capacidade de levar adiante uma campanha de protesto. Fazia bastante tempo que apenas um título de professor universitário já não bastava para abrir a porta das seções "tribuna livre" e "pontos de vista" dos meios de comunicação importantes, e que estes tinham se tornado um espaço estritamente fechado, endógamo. Um protesto, embora unânime, dos professores universitários passaria completamente despercebido; mas tudo indica que, na Arábia Saudita, não conseguiam perceber isso. No fundo, ainda acreditavam no poder da elite intelectual, o que era quase comovente.

Externamente não havia nada de novo na faculdade, a não ser uma estrela e um crescente de metal dourado, acrescentados ao lado da grande inscrição: "Universidade Sorbonne Nouvelle — Paris III", que cruzava o alto da entrada; mas dentro dos prédios administrativos as transformações eram mais visíveis. Na antessala, éramos acolhidos por uma fotografia de peregrinos fazendo sua circum-ambulação em torno da caaba, e as salas estavam decoradas com cartazes representando os versículos caligrafados do Alcorão; as secretárias tinham mudado, eu não reconhecia nenhuma, e todas estavam de véu. Uma delas me entregou um formulário de pedido de aposentadoria, era de uma simplicidade desconcertante; consegui preenchê-lo logo, num canto de mesa, assinei-o e entreguei-lhe. Ao sair para o pátio, tomei consciência de que minha carreira universitária chegava, em poucos minutos, a seu fim.

No metrô Censier, parei, indeciso, diante da escada; não conseguia me decidir a voltar direto para casa, como se nada fosse. As barracas do mercado Mouffetard acabavam de abrir. Fiquei zanzando perto da delicatéssen da Auvergne, contemplando sem realmente ver os salaminhos aromatizados (sabor de queijo, de pistache, de nozes) quando avistei Steve, que subia a rua. Ele também me viu, e tive a impressão de que tentava recuar para me evitar, mas era tarde demais, e fui a seu encontro.

Como eu esperava, ele aceitara um cargo de professor na nova universidade; estava encarregado de um curso sobre Rimbaud. Mostrava-se visivelmente constrangido por me falar disso e acrescentou, sem que eu tivesse perguntado, que as novas autoridades não intervinham em nada no conteúdo do ensino. Bem, é claro que a conversão final de Rimbaud ao islã era apresentada como uma certeza, quando era, no mínimo, controversa; mas sobre o essencial, sobre a análise dos poemas, realmente, nenhuma intervenção. Como eu o escutasse sem manifestar indignação, ele aos poucos relaxou e acabou me convidando para um café.

"Por muito tempo hesitei…", disse ele, depois de pedir um Muscadet. Aquiesci, com uma simpatia compreensiva; avaliei seu tempo de hesitação em dez minutos, no máximo. "Mas o salário é realmente interessante…"

"Já a pensão da aposentadoria é bem razoável."

"O salário é sensivelmente maior."

"Quanto?"

"Três vezes mais."

Dez mil euros por mês para um professor medíocre, que não conseguia produzir nenhuma publicação digna do nome, e cuja notoriedade era nula: realmente, eles tinham recursos imensos. A universidade de Oxford passara debaixo do nariz deles, disse-me Steve, pois os catarianos tinham dado um lance no último minuto; então os sauditas resolveram apostar tudo na Sorbonne. E até compraram apartamentos no quinto e no sexto arrondissements para servir de alojamentos funcionais para os professores; ele mesmo tinha um lindo, com sala e dois quartos, na rue du Dragon, por um aluguel ínfimo.

"Acho que adorariam que você continuasse…", acrescentou, "mas não sabiam como encontrá-lo. Na verdade, até me perguntaram se eu podia ajudá-los a fazer um contato com você; tive de responder que não, que não nos víamos fora da faculdade."

Pouco depois, ele me acompanhou até o metrô Censier. "E as estudantes?", perguntei ao chegar à entrada da estação. Ele abriu um largo sorriso. "Aí, é claro, as coisas mudaram muito; digamos que tomaram formas diferentes. Eu me casei", acrescentou, com um pouco de aspereza. "Eu me casei com uma estudante", esclareceu.

"Eles também cuidam disso?"

"Não exatamente; bem, eles não costumam desencorajar as possibilidades de contato. Vou arrumar uma segunda esposa no mês que vem", concluiu, antes de desaparecer em direção da rue de Mirbel, me deixando pasmo na descida da escada.

Devo ter ficado alguns minutos imóvel, antes de me decidir a voltar para casa. Quando cheguei à plataforma, vi que o próximo trem em direção de Mairie d'Ivry era dali a sete minutos; um deles entrava na estação, mas se dirigia para Villejuif.

Eu estava *na flor da idade*, nenhuma doença letal me ameaçava diretamente, os problemas de saúde que me assaltavam com regularidade eram dolorosos mas, pensando bem, todos menores; só dali a trinta, ou quem sabe quarenta anos, é que eu atingiria essa zona sombria em que todas as doenças se tornam mais ou menos mortais, em que os *resultados clínicos*, como se diz, estão quase sempre comprometidos. Eu não tinha amigos, é verdade, mas será que tive algum dia? E, se quiséssemos refletir com atenção, para que ter amigos? A partir de certo nível de degradação física — e isso viria muito mais depressa, seria preciso contar uns dez anos, talvez menos, até que a degradação se tornasse visível e eu não fosse mais classificado como *ainda jovem* — só mesmo uma relação de tipo conjugal é que faz sentido claro, real (os corpos, de certa forma, se fundem; produzem, em determinada medida, um novo organismo; bem, isso se acreditarmos em Platão). E do ponto de vista das relações conjugais eu estava, sem a menor dúvida, em maus lençóis. As semanas foram passando e os e-mails de Myriam se tornaram mais raros e mais curtos. Havia pouco, ela desistira do evocativo "Meu amor" e o substituíra pelo mais neutro "François". A meu ver, era apenas questão de semanas até que me anunciasse, como todas as que a precederam, que tinha *encontrado alguém*. O encontro já acontecera, disso eu tinha certeza, não sei muito bem por que, mas algo na escolha das palavras que ela usava, na diminuição constante do número de caras sorridentes e coraçõezinhos salpicados em seus e-mails me dava a absoluta certeza; simplesmente, ainda não tivera coragem de confessar.

Afastava-se de mim, era isso, estava refazendo sua vida em Israel, e o que mais eu podia esperar? Era uma moça bonita, inteligente e simpática, e desejável no mais alto grau — sim, o que mais eu podia esperar? Por Israel, em todo caso, sempre manifestava o mesmo entusiasmo. "É duro, mas a gente sabe por que está aqui", escrevia-me; é claro que eu não podia dizer o mesmo.

O fim de minha carreira universitária me privara — precisei de algumas semanas até de fato me conscientizar disso — de todo contato com as estudantes; e agora? Será que por isso eu devia me inscrever em um site de relacionamentos, como tantos outros fizeram antes de mim? Eu era um homem culto, de bom nível; estava *na flor da idade*, como disse; e se depois de algumas semanas de um diálogo trabalhoso em que certos momentos de entusiasmo a respeito de qualquer assunto — digamos, por exemplo, dos últimos quartetos de Beethoven — chegassem provisoriamente a dissimular um tédio crescente e global, e a acenar com a esperança de momentos mágicos ou de uma cumplicidade feita de deslumbramentos e acessos de riso, e se depois dessas poucas semanas eu me decidisse a encontrar uma de minhas inúmeras homólogas femininas, o que iria se seguir? Pane erétil de um lado, secura vaginal de outro; era melhor evitar isso.

Só muito ocasionalmente eu apelara para sites de garotas de programa, e via de regra nos meses do verão, para de certa forma estabelecer a ligação entre uma estudante e outra; no geral, tinha ficado satisfeito. Uma rápida exploração na internet me permitiu verificar que o novo regime islâmico em nada perturbara seu funcionamento. Tergiversei umas semanas, examinando vários perfis, imprimindo alguns para relê-los (os sites de escorts eram um pouco como guias gastronômicos, em que a descrição dos pratos do cardápio, de notável lirismo, deixava entrever delícias bem superiores às que, no final das contas, eram saboreadas). Depois, me decidi por Nadiabeurette; escolher uma muçulmana, tendo em vista as circunstâncias políticas globais, me excitava muito.

De fato, Nadia, de origem tunisiana, escapara por completo desse movimento de reislamização que atacara maciçamente os jovens de sua geração. Filha de um radiologista, morava desde a infância nos bairros chiques, nunca pensara em usar véu. Estava no segundo ano de um mestrado de letras modernas, poderia ser uma de minhas ex-alunas; mas na verdade, não, pois fizera todos os seus estudos em Paris-Diderot. Sexualmente, exercia seu ofício com muito profissionalismo, mas encadeava as posições de maneira mecânica, eu a sentia ausente, e só se animou vagamente na hora da sodomia; tinha um cuzinho bem estreito, mas, não sei por que, não senti nenhum prazer, embora me sentisse capaz de enrabá-la, sem cansaço e sem alegria, por horas a fio. Quando começou a soltar uns pequenos gemidos, senti que ela estava com medo de ter prazer — e talvez, depois, sentimentos; virou-se depressa para terminar a coisa em sua boca.

Antes de ir embora, ainda conversamos uns minutos, sentados no seu sofá de "La Maison du Convertible", até completar uma hora, tempo pelo qual eu tinha lhe pagado. Era bastante inteligente, mas bastante convencional — sobre todos os assuntos, da eleição de Mohammed Ben Abbes à dívida do Terceiro Mundo, pensava exatamente o que era conveniente pensar. Seu *studio* era decorado com gosto, impecavelmente arrumado; eu tinha certeza de que ela se comportava com sensatez, que longe de gastar todos os seus ganhos em roupas de luxo economizava quase tudo o que recebia. De fato, me confirmou que depois de quatro anos de trabalho — começara aos dezoito anos — ganhara o suficiente para comprar o *studio* onde exercia a profissão. Pretendia continuar até o fim dos estudos — depois, pensava numa carreira no audiovisual.

Alguns dias depois encontrei Babeth a safadinha, que tinha comentários ditirâmbicos no site e se apresentava como "hot e sem tabus". De fato, ela me recebeu em seu lindo quarto e sala um pouco velhusco, vestindo unicamente um sutiã seios à mostra e um fio dental aberto no meio. Tinha cabelo comprido louro e um rosto cândido, quase angelical. Também apreciava a sodomia, e não se privava de manifestar isso. Depois de uma hora eu ainda não tinha gozado, e ela observou que, de fato, eu era resistente; na verdade, também dessa vez, e embora minha ereção nunca tivesse falhado, em nenhum momento senti o menor prazer. Ela me perguntou se eu podia gozar em cima de seus seios; foi o que fiz. Espalhando o esperma sobre o peito, ela me contou que gostava muito de ser coberta de gozo; participava regularmente de gang bangs, no mais das vezes em boates de swing, às vezes em locais públicos como estacionamentos. Embora só pedisse uma contribuição mínima — cinquenta euros por pessoa —, essas noitadas eram para ela muito lucrativas, pois às vezes convidava quarenta ou cinquenta homens, que usavam em rodízio seus três orifícios antes de gozarem em cima dela. Prometeu me manter informado da próxima vez que organizasse uma gang bang; agradeci. Eu não estava realmente interessado, mas achei-a simpática.

Em suma, essas duas escorts eram *legais*. Ainda assim, não o suficiente para me dar vontade de revê-las, nem de começar com elas relações contínuas; e muito menos para me dar vontade de viver. Devia, então, morrer? Isso me parecia uma decisão prematura.

Semanas depois, na verdade foi meu pai quem morreu. Fui informado por um telefonema de Sylvia, sua companheira. Não havíamos tido, ela se lamentou ao telefone, "muitas ocasiões de nos falarmos". Era de fato um eufemismo: na verdade eu *nunca* tinha falado com ela, nem sequer conhecia sua existência a não ser por uma alusão indireta que meu pai me fizera durante nossa última conversa, dois anos antes.

Ela foi me buscar na estação de Briançon; minha viagem foi muito desagradável. O TGV até Grenoble ainda deu para o gasto, pois a SNCF mantinha um nível mínimo de serviço nos trens-bala; mas os trens regionais estavam, de fato, entregues às moscas, e o que ia até Briançon teve vários enguiços, e finalmente chegou com um atraso de uma hora e quarenta; as privadas estavam entupidas, uma onda de água misturada com merda invadira a plataforma, ameaçando se espalhar pelos compartimentos.

Sylvia estava ao volante de um Mitsubishi Pajero Instyle, e para minha grande surpresa os assentos dianteiros eram forrados com capas de oncinha. O Mitsubishi Pajero, fiquei sabendo ao voltar, quando comprei a edição especial de *L'Auto-Journal*, é "um dos off-roads mais eficazes em terrenos acidentados". Na versão Instyle o modelo é equipado com assentos de couro, teto solar elétrico, câmera de ré e sistema áudio Rockford Acoustic oitocentos e sessenta watts dotado de vinte e dois alto-falantes. Tudo isso era profundamente surpreendente; durante toda a sua vida — bem, durante toda a parte de sua vida que me era conhecida — meu pai se mantivera quase às raias da ostentação, nos limites do bom gosto burguês perfeitamente convencional: com terno e colete cinza risca-de-giz, vez por outra azul-marinho, e gravatas inglesas de marca, seu vestuário correspondia, na verdade, exatamente à função que exercia: diretor financeiro de uma grande empresa. Cabelo louro levemente ondulado, olhos azul-escuros, rosto bonito: poderia interpretar à perfeição um papel num dos filmes que Hollywood produz de vez em quando sobre esses temas a um só tempo absconsos e, parece, terrivelmente importantes, que giram em torno do universo financeiro, dos subprimes e de Wall Street. Fazia dez anos que não nos víamos, e sua evolução me era desconhecida, mas com certeza eu não esperava que tivesse se transformado numa espécie de aventureiro de subúrbio.

Sylvia estava na faixa dos cinquenta, uns vinte e cinco anos menos que ele; se eu não estivesse ali, provavelmente iria receber a integralidade da herança; minha existência a obrigava a me conceder a parte que me cabia — cinquenta por cento, já que eu era filho único. Nessas condições, dificilmente seria de esperar que nutrisse sentimentos muito calorosos por mim; no entanto, comportava-se razoavelmente bem, me dirigia a palavra sem constrangimento excessivo. Eu telefonara várias vezes para avisá-la do atraso crescente do trem, e a tabeliã conseguira passar o encontro para as seis da tarde.

A abertura do testamento de meu pai não trouxe nenhuma surpresa: seu patrimônio estava dividido, em partes iguais, entre nós dois; não havia nenhuma herança complementar. Mas a tabeliã tinha trabalhado bem, e começara a avaliar o espólio.

Ele recebia uma excelente aposentadoria da Unilever e tinha pouco dinheiro no banco: dois mil euros na conta corrente, uns dez mil euros numa conta de poupança aberta havia muito tempo, provavelmente esquecida. Seu principal bem era a casa onde viviam, Sylvia e ele: um corretor imobiliário de Briançon, depois de uma visita, a estimara em quatrocentos e dez mil euros. O Mitsubishi 4x4, quase novo, valia quarenta e cinco mil euros segundo a cotação do Argus. O mais surpreendente para mim era a existência de uma coleção de fuzis de valor, que a tabeliã classificara por ordem de cotação: os mais caros eram um Verney-Carron "Platines" e um Chapuis "Oural Élite". No total, o conjunto equivalia a uma quantia de oitenta e sete mil euros — muito mais que o 4x4.

"Ele colecionava armas?", perguntei a Sylvia.

"Não eram armas de coleção; ele ia muito à caça, que tinha se tornado sua grande paixão."

Um ex-diretor financeiro da Unilever que tardiamente compra um 4x4 off-road e reencontra seus instintos de caçador-coletor: era surpreendente mas, afinal, plausível. A tabeliã já tinha terminado; aquele inventário seria desesperadamente simples. Ainda assim, a extrema rapidez do processo não me impediu, levando em conta meu atraso inicial, de perder meu trem de volta, e era o último do dia. Isso colocava Sylvia em posição delicada, como percebemos, talvez mais ou menos no mesmo momento, ao entrarmos no carro. Logo desfiz o embaraço afirmando que para mim, o melhor, e de longe, era encontrar um quarto de hotel perto da estação de Briançon. Meu trem para Paris saía muito cedo na manhã seguinte, e eu não podia de jeito nenhum perdê-lo, pois tinha encontros muito importantes na capital, afirmei. Mentia duplamente: não só não tinha encontros no dia seguinte, nem tampouco em nenhum outro dia, como o primeiro trem partia um pouco antes do meio-dia, e na melhor das hipóteses eu conseguiria chegar a Paris por volta das seis da tarde. Tranquilizada pelo fato de que brevemente eu ia sumir de sua vida, foi quase com arrebatamento que me convidou a tomar algo "na casa deles", como se obstinava em dizer. Não só não era "na casa deles", pois meu pai estava morto, como logo mais não seria nem "na casa dela": tendo em vista as contas que me foram comunicadas, ela não teria escolha, para me pagar minha parte do espólio, senão pôr a casa à venda.

Situado nos contrafortes do vale de Freissinières, o chalé era enorme; o estacionamento, no subsolo, poderia conter uns dez carros. Ao cruzar o corredor que ia dar no salão, parei diante dos troféus empalhados que deviam ser camurças, corços, em suma, mamíferos desse gênero; também havia um javali, mais fácil de reconhecer.

"Tire o casaco, se quiser...", disse-me Sylvia. "A caça era uma coisa muito legal, sabe; eu também não conhecia antes. Eles caçavam o domingo inteiro, e jantávamos juntos com os outros caçadores e suas esposas, uns dez casais; em geral tomávamos um aperitivo aqui e muitas vezes íamos a um pequeno restaurante do vilarejo vizinho, que fechávamos para a ocasião."

Assim, meu pai tivera um fim de vida *legal*; mais uma surpresa. Durante toda a minha juventude eu jamais tinha encontrado um colega seu de trabalho, e não creio que ele tampouco tivesse encontrado algum — fora do ambiente de trabalho, quero dizer. Meus pais tinham amigos? Talvez, mas eu não conseguia me lembrar. Vivíamos em Maisons-Laffitte, numa casa grande — claro, menor do que aquela, mas mesmo assim grande. Eu não conseguia me lembrar de ninguém que tivesse ido jantar conosco, passar um fim de semana, em suma, fazer esse tipo de coisas que em geral fazem os *amigos*. Também não acreditava, e isso era mais perturbador, que meu pai tivesse tido o que chamamos de *amantes* — aqui, é claro, eu não podia ter certeza, não tinha nenhuma prova; mas não conseguia de jeito nenhum associar a ideia de uma amante com a lembrança que conservava dele. Em suma, eis um homem que teria vivido duas vidas, nitidamente separadas, e sem o menor ponto de contato entre elas.

O salão era muito amplo e devia ocupar todo o andar; perto da cozinha americana instalada à direita da entrada havia uma grande mesa de jantar rústica. O meio do espaço estava ocupado por mesas de centro e largos sofás de couro branco; na parede havia outros troféus de caça, e, em cima de um armeiro, a coleção de fuzis de meu pai: eram belos objetos, com incrustações de metal finamente trabalhadas que refletiam um brilho suave. O chão estava coberto de peles de animais diversos, essencialmente carneiros, imagino; daria para pensar num filme pornô alemão dos anos 1970, um daqueles que se passam numa pousada de caça do Tirol. Fui até o janelão envidraçado que ocupava toda a parede do fundo, dando para uma paisagem montanhosa. "Em frente, dá para ver o pico de La Meije", Sylvia interveio. "E, mais para o norte, a cadeia dos Écrins. Quer beber alguma coisa?"

Eu nunca tinha visto um bar tão bem-abastecido, havia dezenas de aguardentes de frutas, e certos licores de cuja existência eu nem sequer desconfiava, mas me contentei com um martíni. Sylvia acendeu um abajur. A noite caindo dava clarões azulados à neve que cobria o maciço dos Écrins, e o ambiente se tornou um pouco triste. Mesmo excetuando as questões da herança, eu não imaginava que ela tivesse vontade de ficar sozinha naquela casa. Ela ainda trabalhava, ocupava sei lá que cargo em Briançon, como me dissera no trajeto até o escritório da tabeliã, mas eu tinha esquecido. Saltava aos olhos que, ainda que se instalasse num belo apartamento no centro de Briançon, sua vida se tornaria claramente menos divertida. Sentei-me no sofá, meio a contragosto, aceitei um segundo martíni — mas já tinha decidido que seria o último, que logo depois lhe pediria para me acompanhar ao hotel. Jamais conseguiria entender as mulheres, isso era algo que me aparecia como uma evidência crescente. Aquela era uma mulher normal, e até de uma normalidade quase exagerada; no entanto, ela conseguira descobrir alguma coisa em meu pai; alguma coisa que nem minha mãe nem eu tínhamos percebido. E eu não conseguia acreditar que fosse apenas, nem principalmente, uma questão de dinheiro; ela mesma tinha um alto salário, o que se via por sua roupa, seu penteado, seu jeito de falar. Naquele homem de idade, comum, ela fora a primeira que soubera encontrar alguma coisa para amar.

De volta a Paris, encontrei o e-mail que temia receber havia algumas semanas; bem, não é totalmente verdade, acho que eu já tinha me conformado; a única pergunta que de fato eu me fazia era se Myriam também me escreveria dizendo que tinha *encontrado alguém*; se empregaria essa expressão.

Empregou. No parágrafo seguinte, declarou que lamentava muito e escreveu que jamais pensaria em mim sem certa tristeza. Acho que era verdade — embora também fosse verdade que, pelo visto, já não pensaria muito. Em seguida, mudava de assunto, fingia se preocupar imensamente com a situação política na França. Isso era simpático, fazer como se o nosso amor tivesse de certa forma sido quebrado pelo turbilhão das convulsões históricas; claro que não era totalmente honesto, mas era simpático.

Saí da frente da tela do computador, dei uns passos até a janela; uma nuvem lenticular isolada, de flancos tingidos de laranja pelo sol se pondo, pairava muito alta acima do estádio Charléty, tão imóvel, tão indiferente quanto uma nave espacial intergaláctica. Eu sentia apenas uma dor surda, amortecida, mas suficiente para me impedir de pensar com clareza: tudo o que eu via era que mais uma vez estava só, com um desejo de viver cada vez menor, e com inúmeros aborrecimentos em perspectiva. Extremamente simples em si mesma, minha demissão da universidade criara um vasto canteiro de trabalho junto à previdência social, e também junto a meu seguro de saúde complementar, que eu não me sentia com coragem de enfrentar. No entanto, eu precisava; embora muito confortável, em nenhuma hipótese minha aposentadoria me possibilitava enfrentar uma doença grave; mas ela permitia, pelo menos, que eu apelasse de novo às minhas escorts. No fundo, não tinha a menor vontade de fazer isso, e a obscura noção kantiana de "dever para consigo mesmo" pairava em meu espírito quando resolvi percorrer as telas de meu site habitual de encontros. Optei, enfim, por um anúncio publicado por duas moças: Rachida, uma marroquina de vinte e dois anos, e Luisa, uma espanhola de vinte e quatro anos, propunham "deixar-se enfeitiçar por uma dupla danadinha e endiabrada". Era caro, evidentemente; mas as circunstâncias pareciam justificar uma despesa um pouco excepcional; marcamos o encontro para aquela mesma noite.

No início, as coisas aconteceram como de praxe, ou seja, razoavelmente bem: elas alugavam um lindo *studio* perto da place Monge, tinham queimado incenso e posto música suave do gênero canto de baleias, penetrei e enrabei as duas, uma depois da outra, sem esforço e sem prazer. Foi só meia hora depois, quando metia em Luisa com ela de quatro, que algo novo se produziu: Rachida me deu um beijo e depois, com um sorrisinho, passou para trás de mim; primeiro pôs a mão em minha bunda, depois aproximou o rosto e começou a lamber meus colhões. Aos poucos senti renascer em mim, com um deslumbramento crescente, os arrepios esquecidos do prazer. Talvez o e-mail de Myriam, o fato de que de certa forma ela me abandonasse oficialmente, tivesse liberado algo em mim, não sei. Cheio de gratidão, eu me virei, arranquei a camisinha e me ofereci à boca de Rachida. Dois minutos depois gozei entre seus lábios; ela lambeu meticulosamente as últimas gotas enquanto eu acariciava seus cabelos.

Ao sair, insisti em oferecer a cada uma delas uma gorjeta de cem euros; minhas conclusões negativas talvez fossem prematuras, as duas moças davam uma demonstração que se somava à surpreendente mutação ocorrida, tardiamente, na vida de meu pai; e talvez, se eu revisse Rachida com frequência, um sentimento amoroso acabasse nascendo entre nós, nada permitia excluí-lo de todo.

Esse curto rompante de esperança veio num momento em que, de modo geral, a França recuperava um otimismo que não conhecera desde o fim dos Trente Glorieuses,* meio século antes. O início do governo de união nacional instalado por Mohammed Ben Abbes foi unanimemente saudado como um sucesso, nunca um presidente da República recém-eleito se beneficiara de tamanho "estado de graça", todos os comentaristas estavam de acordo sobre isso. Eu costumava repensar no que Tanner me dissera, nas ambições internacionais do novo presidente, e notei com interesse uma informação que passou praticamente despercebida: a retomada das negociações sobre a adesão próxima do Marrocos à União Europeia; quanto à Turquia, já fora definido um calendário. Portanto, a reconstrução do Império romano estava em marcha, e no plano interno Ben Abbes tinha uma trajetória impecável. A consequência mais imediata de sua eleição foi a diminuição da delinquência, e em proporções enormes: nos bairros mais problemáticos, ela despencou para menos de um décimo do total. Outro sucesso imediato foi o desemprego, cujas taxas estavam em queda livre. Isso se devia, sem a menor dúvida, à saída maciça das mulheres do mercado de trabalho — e isso estava por sua vez ligado à considerável revalorização dos abonos familiares, primeira medida apresentada, simbolicamente, pelo novo governo. O fato de que o pagamento fosse condicionado à cessação de toda atividade profissional provocara,

* Período de grande crescimento econômico que vai de 1945 a 1975. (N. T.)

no início, uma certa chiadeira da esquerda; mas, diante das estatísticas do desemprego, o ranger de dentes logo parou. O déficit orçamentário nem sequer teria aumentado: a revalorização dos abonos familiares foi integralmente compensada pelo corte drástico do orçamento do Ministério da Educação Nacional — até então, de longe, o maior orçamento do Estado. No novo sistema, a escolaridade obrigatória terminava no final do primário — isto é, mais ou menos na idade de doze anos; restabelecia-se o certificado de conclusão de estudos, que aparecia como o coroamento normal do percurso educativo. Em seguida, o ensino técnico do artesanato foi encorajado; o financiamento do ensino secundário e superior tornou-se, por sua vez, inteiramente privado. Essas reformas visavam "dar o lugar e a dignidade que a família, célula-base de nossa sociedade, merece", declararam o novo presidente da República e seu primeiro-ministro, num estranho discurso comum, em que Ben Abbes encontrara toques quase místicos, e em que François Bayrou, com o rosto aureolado por um largo sorriso de beatitude, desempenhara mais ou menos o papel de Jean Saucisse, o *Hanswurst* das velhas pantominas alemãs, que repete de forma exagerada — e meio grotesca — o que acaba de ser dito pelo personagem principal. As escolas muçulmanas não tinham, é claro, nada a temer — no que se refere ao ensino, a generosidade das petromonarquias era, desde sempre, sem limites. De maneira mais surpreendente, certos estabelecimentos católicos e judeus tinham, ao que tudo indicava, se safado a tempo, apelando para a colaboração de diversos empresários; em todo caso, anunciavam ter encerrado as negociações e conseguido as verbas para funcionar normalmente já no próximo ano letivo.

A implosão brutal do sistema de oposição binário centro-esquerda/centro-direita, que estruturava a vida política francesa desde tempos imemoriais, primeiro mergulhara toda a imprensa num estado de estupor, depois, de afasia. Foi possível ver o infeliz Christophe Barbier, com sua echarpe caída, arrastando-se miseravelmente de um estúdio de televisão a outro, impotente para comentar uma mutação histórica que ele não vira chegar — que, a bem da verdade, ninguém vira chegar. No entanto, pouco a pouco, ao longo das semanas, núcleos de oposição começaram a se formar. Primeiro, entre os laicos de esquerda. Sob o impulso de personalidades improváveis como Jean-Luc Mélenchon e Michel Onfray, ocorreram reuniões de protesto; a Frente de Esquerda continuava a existir, ao menos no papel, e já se podia prever que Mohammed Ben Abbes teria um oponente de peso em 2027 — excetuando-se, é claro, a candidata da Frente Nacional. Inversamente, certas organizações como a União dos Estudantes Salafistas fizeram ouvir sua voz, denunciando a persistência de comportamentos imorais e exigindo uma autêntica aplicação da charia. Assim, aos poucos instalavam-se os elementos de um debate político. Seria um debate de tipo novo, muito diferente dos que a França conhecera nos últimos decênios, mais parecido com o que existia na maioria dos países árabes; mas seria, mesmo assim, uma espécie de debate. E a existência de um debate político, embora artificial, é necessária para o funcionamento harmonioso da imprensa, talvez até para a existência, no seio da população, de um sentimento pelo menos formal de democracia.

Além dessa agitação superficial, a França estava mudando depressa, e mudando em profundidade. Logo ficou claro que Mohammed Ben Abbes, independentemente do islã, tinha suas próprias ideias; durante uma entrevista coletiva, ele se declarou influenciado pelo distributivismo, o que mergulhou seus ouvintes numa perplexidade geral. A bem da verdade, ele já havia declarado isso, várias vezes, durante a campanha presidencial; mas os jornalistas têm uma tendência muito natural a ignorar as informações que não entendem, e a declaração não fora colocada em destaque nem discutida. Dessa vez, tratava-se de um presidente da República no exercício de suas funções, portanto era indispensável que eles atualizassem sua documentação. Assim, o grande público ficou sabendo, nas semanas seguintes, que o distributivismo era uma filosofia econômica surgida na Inglaterra no início do século XX por inspiração dos pensadores Gilbert Keith Chesterton e Hilaire Belloc. Apresentava-se como uma "terceira via", afastando-se tanto do capitalismo quanto do comunismo — sendo este assimilado a um capitalismo de Estado. Sua ideia de base era a supressão da separação entre capital e trabalho. O núcleo produtivo da economia era a empresa familiar; quando se tornasse necessário, para certas produções, reunirem-se em entidades mais vastas, tudo devia ser feito para que os trabalhadores fossem acionistas da empresa, e corresponsáveis por sua gestão.

O distributivismo, esclareceria mais tarde Ben Abbes, era perfeitamente compatível com os ensinamentos do islã. O esclarecimento não era inútil, pois Chesterton e Belloc, quando vivos, foram conhecidos sobretudo por sua virulenta atividade de polemistas católicos. Apesar do anticapitalismo visível da doutrina, logo ficou claro que, no fundo, as autoridades de Bruxelas não teriam muito a temer dessa nova orientação. Na verdade, as principais medidas práticas adotadas pelo novo governo foram, de um lado, a supressão total dos subsídios do Estado aos grandes grupos industriais — medidas que Bruxelas já combatia havia tempo como um desrespeito ao princípio da livre concorrência — e, de outro, a adoção de regulamentações fiscais muito favoráveis ao artesanato e ao estatuto de autoempreendedorismo. Essas medidas foram, de saída, extremamente populares; fazia vários decênios que o sonho profissional universalmente expresso pelos jovens era, na verdade, "montar seu próprio negócio", ou pelo menos ter um estatuto de autônomo. Além disso, correspondiam perfeitamente às evoluções da economia nacional: apesar dos dispendiosos planos de salvação, os grandes parques industriais continuavam a fechar na França, uns depois dos outros; enquanto isso, a agricultura e o artesanato safavam-se às mil maravilhas, e até conquistavam, como se diz, parcelas de mercado.

Todas essas evoluções arrastavam a França para um novo modelo de sociedade, mas a transformação deveria permanecer implícita até a publicação clamorosa de um ensaio escrito por um jovem sociólogo, Daniel da Silva, ironicamente chamado *Um dia tudo isso será seu, meu filho*, com o explícito subtítulo "Rumo à família de interesse". Na introdução, ele prestava homenagem a outro ensaio, publicado uns dez anos antes, do filósofo Pascal Bruckner, em que este, verificando o fracasso do casamento de amor, pregava um retorno ao casamento de interesse. Da mesma maneira, Da Silva afirmava que o laço familiar, em especial o laço entre pai e filho, não podia de jeito nenhum se basear no amor, mas na transmissão de uma competência e de um patrimônio. A passagem generalizada ao regime de salários deveria necessariamente, a seu ver, provocar a explosão da família e a atomização completa da sociedade, que só conseguiria se refundar quando o modelo de produção normal fosse de novo baseado na empresa individual. Frequentemente o sucesso das teses antirromânticas se devia à polêmica, mas antes de Da Silva elas custavam a se manter no radar da mídia, pois o consenso universal na imprensa dominante girava em torno da liberdade individual, do mistério do amor e de outras coisas desse gênero. Com um espírito alerta, além de ser um excelente debatedor e, no fundo, manter-se um tanto indiferente às ideologias políticas ou religiosas, e permanecendo em todas as circunstâncias estritamente centrado em sua área de saber — a análise da evolução das estruturas familiares e suas consequências para as perspectivas demográficas das sociedades ocidentais —, o jovem sociólogo deveria ser o primeiro a conseguir romper o círculo de direitização que ameaçava se criar em torno dele e se impor como uma voz qualificada nos debates públicos que surgiram (que surgiram muito lentamente, muito progressivamente, e sem grande virulência, pois o ambiente geral continuou a ser o de uma aceitação tácita e suave, mas que surgiram mesmo assim) em torno dos projetos de sociedade de Mohammed Ben Abbes.

Minha própria história familiar era uma ilustração perfeita das teses de Da Silva; quanto ao amor, eu não podia estar mais distante. O milagre de minha primeira visita a Rachida e Luisa não se reproduziu, e meu pau voltou a ser um órgão tão eficaz quanto insensível; saí do apartamento delas em estado quase de desespero, consciente de que provavelmente nunca mais tornaria a vê-las, e que as possibilidades existentes se escoavam entre meus dedos com rapidez cada vez maior, me deixando, como diria Huysmans, "incomovido e seco".

Pouco depois, uma frente fria de vários milhares de quilômetros baixou brutalmente sobre a Europa ocidental; depois de estar estacionada alguns dias sobre as Ilhas Britânicas e a Alemanha do norte, a massa de ar polar desceu numa só noite sobre a França, provocando temperaturas excepcionalmente baixas para a época.

Meu corpo, que já não podia ser uma fonte de prazer, permanecia uma fonte plausível de sofrimentos, e dias depois me dei conta de que eu era, talvez pela décima vez em três anos, vítima de disidrose, que se manifestava na forma de um eczema cheio de bolhas. Pequeninas pústulas incrustadas na planta dos pés e entre os dedos tendiam a se juntar para formar uma superfície purulenta, em carne viva. Numa consulta com o dermatologista, fui informado de que a afecção se complicara por causa de uma micose decorrente de fungos oportunistas que tinham colonizado a zona afetada. O tratamento era conhecido mas longo, eu não devia esperar uma melhora significativa antes de várias semanas. Fui acordado pela dor em todas as noites que se seguiram;

precisava me coçar por horas a fio, até sair sangue, para conseguir um alívio temporário. Era surpreendente que meus dedos dos pés, esse pedacinhos de carne gorduchos, absurdos, pudessem ser devastados por torturas tão lancinantes.

Uma noite em que me dedicara a uma dessas sessões de coceira, levantei-me, com os pés sangrando, e fui até o janelão envidraçado. Eram três horas da madrugada, mas a escuridão, como sempre em Paris, era parcial. De minha janela dava para ver uns dez edifícios mais altos e várias centenas de imóveis menores. No total, alguns milhares de apartamentos, e também de *lares* — lares em geral reduzidos, em Paris, a uma ou duas pessoas, e cada vez mais frequentemente a uma. Agora, a maioria dessas células estava apagada. Eu não tinha, mais que a maioria daquelas pessoas, verdadeira razão para me matar. Tinha até mesmo, pensando bem, nitidamente menos motivos: minha vida fora marcada por autênticas realizações intelectuais, e eu estava num certo meio — sem dúvida extremamente restrito — reconhecido e até respeitado. No plano material, não havia do que me queixar: tinha a garantia, até minha morte, de me beneficiar de uma renda elevada, duas vezes maior que a média nacional, sem precisar realizar em troca o menor trabalho. No entanto, eu sentia muito bem que me aproximava do suicídio, sem sentir nenhum desespero nem tristeza especial, simplesmente pela lenta degradação da "soma total das funções que resistem à morte", conforme fala Bichat. Estava claro que a simples vontade de viver já não bastava para que eu resistisse ao conjunto de dores e aborrecimentos que balizam a vida de um ocidental médio. Eu era incapaz de viver para mim mesmo, e para quem mais iria viver? A humanidade não me interessava, até me repugnava, eu não considerava de jeito nenhum os humanos como meus irmãos, e menos ainda se considerasse uma fração mais restrita da humanidade, formada por exemplo por meus compatriotas, ou por meus ex-colegas. Mas eu devia admitir, bastante a contragosto, que esses humanos eram meus semelhantes, mas era justamente essa semelhança que me levava a fugir deles; eu precisaria de uma mulher, essa era a solução clássica, já testada. Uma mulher é sem dúvida humana, mas representa um tipo ligeiramente diferente de humanidade, pois traz à vida certo perfume de exotismo. Huysmans poderia ter pensado nesse problema praticamente nos mesmos termos, a situação não tinha mudado desde então, a não ser de maneira informal e negativa, por um lento desgaste, por um nivelamento das diferenças — mas até isso, talvez, tinha sido amplamente exagerado. Afinal, ele pegara outro caminho, optara pelo exotismo mais radical da *divindade*; mas esse caminho me deixava igualmente perplexo.

Mais uns meses se passaram; minha disidrose acabou cedendo aos tratamentos, mas foi substituída, quase de imediato, por crises de hemorroidas extremamente violentas. O clima foi ficando cada vez mais frio, e meus deslocamentos cada vez mais racionais: uma saída semanal até o Géant Casino para renovar meus estoques de produtos alimentícios e de limpeza, uma saída diária até minha caixa de correio para receber os livros que eu comprava na Amazon.

Mas pude atravessar sem desespero excessivo o período das festas. Um ano antes, ainda tinha recebido alguns e-mails de feliz ano-novo — de Alice, em especial, e de certos colegas da faculdade também. Este ano, pela primeira vez, não havia nenhum.

Na noite de 19 de janeiro, fui submergido por uma crise de choro inesperada, interminável. De manhã, quando a aurora se erguia em Le Kremlin-Bicêtre, resolvi retornar à abadia de Ligugé, ali onde Huysmans recebera a oblação.

Anunciavam que o TGV para Poitiers tinha um atraso indeterminado, e agentes de segurança da SNCF patrulhavam ao longo das plataformas para evitar que um usuário fosse tentado a acender um cigarro; em suma, minha viagem começava mal, e dentro do vagão outras desventuras me esperavam. O espaço reservado às bagagens reduzira-se ainda mais desde minha última viagem, tornara-se quase inexistente, e malas e sacolas de viagem se amontoavam nos corredores, tornando conflituoso e logo impossível esse vaivém entre os vagões que antigamente constituía a principal distração de uma viagem de trem. O bar Servair, que levei vinte e cinco minutos para alcançar, me reservava outra decepção: a maioria dos pratos do pequeno cardápio estava em falta. A SNCF e a empresa Servair pediam desculpas pelos transtornos; tive de me contentar com uma salada de quinoa com manjericão e uma água italiana com gás. Eu tinha comprado o *Libération*, um pouco por desespero, numa loja Relay da estação. Mais ou menos na altura de Saint-Pierre-des-Corps, um artigo atraiu minha atenção: o distributivismo alardeado pelo novo presidente não parecia, no final das contas, tão inofensivo quanto aparentava de início. Um dos elementos essenciais da filosofia política introduzida por Chesterton e Belloc era o princípio da subsidiaridade. Segundo esse princípio, nenhuma entidade (social, econômica ou política) devia assumir uma função que pudesse ser entregue a uma entidade menor. O papa Pio XI, em sua encíclica *Quadragesimo Anno*, fornecia uma definição desse princípio: "Assim como é ruim retirar do indivíduo e confiar à comunidade o que a empresa privada e a indústria podem realizar, é igualmente uma grande injustiça, um mal sério e uma perturbação da ordem correta que uma organização superior mais ampla assuma funções que podem ser efetuadas eficazmente por entidades inferiores menores". No caso, a nova função que, conforme Ben Abbes acabava de notar, era exercida por um nível demasiado amplo, e que "perturbava a ordem correta", não era outra senão a assistência social. Em seu último discurso, ele se entusiasmara ao dizer que nada era tão belo como a solidariedade, quando exercida no quadro caloroso da célula familiar!... O "quadro caloroso da célula familiar" ainda era em grande parte, nesse estágio, um *projeto*; porém, mais concretamente, a nova lei orçamentária do governo previa para os próximos três anos um corte de oitenta e cinco por cento das despesas sociais do país.

O mais espantoso era que a magia hipnótica que o presidente disseminava desde o início continuava a funcionar, e seus projetos não esbarravam em nenhuma oposição séria. A esquerda sempre tivera essa capacidade de fazer com que fossem aceitas reformas antissociais que teriam sido vigorosamente rejeitadas se viessem da direita; contudo, ao que parece, o partido muçulmano era ainda melhor nisso. Nas páginas internacionais, fiquei sabendo que as negociações com a Argélia e a Tunísia em vista de sua adesão à União Europeia avançavam depressa, e que esses dois países deveriam, até o final do próximo ano, juntarem-se ao Marrocos no seio da UE; e haviam sido feitos os primeiros contatos com o Líbano e o Egito.

Minha viagem começou a tomar um aspecto um pouco mais favorável na estação de Poitiers. Havia táxis em quantidade suficiente, e o motorista não pareceu surpreso quando anunciei que ia à abadia de Ligugé. Era um homem de uns cinquenta anos, corpulento, de olhar circunspecto e ameno; dirigia com muita prudência sua perua Toyota. Vinha gente do mundo inteiro, toda semana, passar uma temporada no mais velho mosteiro cristão do Ocidente, me informou ele; ainda na semana passada, transportara um famoso ator americano — não conseguia se lembrar do nome, mas tinha certeza de já tê-lo visto em filmes; depois de uma curta conversa ele concedeu que podia se tratar, mas não tinha muita certeza, de Brad Pitt. Minha temporada deveria ser agradável, ele presumia: o lugar era calmo, e a comida, deliciosa. Percebi, no momento em que ele dizia isso, que não só pensava assim como desejava que assim fosse, e que fazia parte dessas pessoas, não muito numerosas, que se alegram a priori com a felicidade de seus semelhantes. Em suma, era o que se pode chamar de *um bom homem*.

No hall de entrada do mosteiro havia, à esquerda, a loja onde se podiam comprar produtos do artesanato monástico — mas que por ora estava fechada; e a recepção, à direita, estava vazia. Uma tabuletinha indicava que se tocasse a campainha em caso de ausência, mas pedia que se evitasse fazê-lo durante os ofícios, a não ser em caso de extrema urgência. O horário dos ofícios estava indicado, mas não a duração deles: depois de um cálculo bastante longo, intercalando com a hora das refeições, concluí que, para que tudo coubesse num dia, a duração unitária de um ofício não deveria ter mais de meia hora. Um cálculo mais rápido me indicou que, naquele exato instante, deviam estar entre os ofícios da sexta e da nona; portanto, eu podia tocar a campainha.

Minutos mais tarde apareceu um monge de estatura elevada, vestindo uma batina preta; deu um largo sorriso ao me ver. Seu rosto de fronte alta era rodeado de cachinhos castanhos, levemente grisalhos, e de um fio de barba também castanho; tinha no máximo cinquenta anos. "Sou o frei Joël, fui eu que respondi ao seu e-mail", disse antes de pegar minha bolsa, "vou levá-lo a seu quarto." Mantinha-se muito ereto e carregava sem nenhuma dificuldade a bolsa, que estava pesada. Em suma, parecia em plena forma física. "Estamos muito contentes em revê-lo", prosseguiu, "faz mais de vinte anos, não é?" Devo ter olhado para ele com uma expressão de incompreensão total, porque a seguir ele perguntou: "O senhor foi nosso hóspede há uns vinte anos, não foi? Na época, não escrevia sobre Huysmans?". Era verdade, mas fiquei surpreso que ele se lembrasse de mim, pois de minha parte seu rosto não me dizia rigorosamente nada.

"O senhor é aquele a quem se chama de frade porteiro, é isso?"

"Não, não, de jeito nenhum, mas na época eu era. É uma função que costuma ser ocupada pelos jovens monges — bem, jovens na vida monástica. O frade porteiro pode falar com nossos hóspedes, pois ainda está em contato com o mundo; ser frade porteiro é uma espécie de passagem, uma etapa intermediária conferida ao monge antes de mergulhar em sua vocação de silêncio. Quanto a mim, permaneci como frade porteiro por pouco mais de um ano."

Íamos caminhando ao longo de um edifício em estilo renascentista, muito bonito, margeado por um parque; um sol deslumbrante, invernal, brilhava nas alamedas cobertas de folhas mortas. Um pouco adiante surgiu uma igreja quase tão alta quanto o claustro, de um gótico tardio. "É a antiga igreja do convento, a que Huysmans conheceu...", disse o frei Joël. "Mas depois da dispersão da comunidade, provocada pelas leis Combes, quando conseguimos nos reformar, não conseguimos recuperá-la, ao contrário dos edifícios do claustro. Foi preciso construir uma nova, no terreno do mosteiro." Demos uma parada diante de uma pequena construção térrea, no mesmo estilo renascentista. "Essa é a nossa hospedaria, é aqui que o senhor vai ficar...", prosseguiu. No mesmo instante, um monge atarracado de uns quarenta anos, também de batina preta, apareceu correndo no final da alameda. Vivo, de uma calvície quase brilhante sob o sol, dava a impressão de uma jovialidade e uma competência extremas; fazia pensar num ministro das Finanças, ou melhor, num ministro do Orçamento, em suma, ninguém hesitaria em lhe dar responsabilidades importantes. "E aqui está o frei Pierre, nosso novo frade porteiro, é com ele que o senhor tratará de todos os aspectos práticos de sua estada...", anunciou frei Joël. "Eu vim unicamente para saudá-lo." Depois dessas palavras, inclinou-se profundamente diante de mim, apertou minha mão e voltou para o claustro.

"O senhor veio de TGV?", perguntou o frade porteiro; confirmei. "De fato, o TGV é realmente rápido", prosseguiu, querendo visivelmente iniciar uma conversa em bases consensuais. Depois, pegando minha bolsa, me levou até o quarto: quadrangular, de cerca de três metros por três, o cômodo era revestido de um papel de parede cinza-claro, e o chão era coberto por um carpete bastante usado, cinza médio. O único enfeite era um grande crucifixo de madeira escura, acima da caminha de solteiro. Logo notei que a pia não tinha misturador de água quente e fria; notei também a presença de um detector de fumaça no teto. Afirmei ao frei Pierre que aquele quarto me conviria perfeitamente, mas já sabia que era mentira. Quando ele se pergunta, às vezes de maneira interminável, no *En route*, se irá suportar a vida monástica, um dos argumentos negativos apresentados por Huysmans é que, pelo visto, irão proibi-lo de fumar dentro dos recintos. Esse era o gênero de frase que, desde sempre, me fizera gostar dele; como também o trecho em que declara que uma das únicas alegrias puras da vida neste mundo consiste em se instalar sozinho na própria cama, tendo ao alcance da mão uma pilha de bons livros e um pacote de fumo. Está certo, está certo; mas ele não conheceu os detectores de fumaça.

Sobre uma mesa de madeira meio capenga repousavam uma Bíblia, um opúsculo fininho — assinado por dom Jean-Pierre Longeat — sobre o significado de um retiro num mosteiro (estava escrito: "Não retirar do quarto") e um folheto de informações que continha, essencialmente, o horário dos ofícios e das refeições. Uma olhada de relance me indicou que era quase hora do ofício da nona, mas resolvi, nesse primeiro dia, me abster dele: sua simbologia não era fulgurante; os ofícios de terça, sexta e nona tinham como vocação "apresentar-se perante Deus ao longo de todo o dia". Havia sete ofícios por dia, além da missa; isso não havia mudado em nada desde a época de Huysmans, mas o que havia se tornado mais leve era o ofício de vigílias, antes às duas horas da madrugada, e que agora havia sido antecipado para as dez da noite. Durante minha primeira temporada eu tinha gostado muito desse ofício, composto de longos salmos meditativos, no coração da noite, tão afastado das completas (e do adeus ao dia) quanto das laudes de saudação a uma nova aurora; esse ofício de espera, de esperança última sem razão de esperar. Evidentemente, em pleno inverno, na época em que a igreja nem sequer era aquecida, não devia ser um ofício fácil.

O que mais me impressionava era que frei Joël tivesse me reconhecido, a mais de vinte anos de distância. Para ele não devia ter havido muitos acontecimentos nesse intervalo, desde que deixara as funções de frade porteiro. Trabalhara nas oficinas do mosteiro, assistira aos ofícios cotidianos. Sua vida fora calma, provavelmente feliz; oferecia um profundo contraste com a minha.

Em seguida, fiz um longo passeio pelo parque, fumando inúmeros cigarros, esperando o ofício das vésperas, que precedia a refeição. O sol estava cada vez mais luminoso, fazendo cintilar o orvalho, acendendo clarões amarelados nas pedras dos edifícios, escarlates sobre o tapete de folhas. O sentido de minha presença ali deixara de me aparecer claramente; às vezes me aparecia, tênue, depois desaparecia, quase em seguida; mas é claro que não tinha muito a ver com Huysmans.

Nos dois dias que se seguiram eu me acostumei àquela ladainha dos ofícios, sem no entanto conseguir de fato gostar daquilo. A missa era o único elemento reconhecível, o único ponto de contato com a devoção tal como a entendemos no mundo exterior. No mais, tratava-se da leitura e do canto de salmos apropriados ao momento do dia, por vezes entrecortados de breves leituras de textos sagrados, a cargo de um dos monges — leituras que também acompanhavam as refeições, feitas em silêncio. A igreja moderna, construída no terreno do mosteiro, era de uma feiura sóbria — lembrava um pouco, pela arquitetura, o centro comercial Super-Passy da rue de l'Annonciation, e seus vitrais, simples manchas abstratas e coloridas, não mereciam atenção; mas a meu ver nada disso tinha muita importância: eu não era um esteta, e seria infinitamente menos que Huysmans, e a feiura uniforme da arte religiosa contemporânea me deixava mais ou menos indiferente. As vozes dos monges elevavam-se no ar gélido, puras, humildes e benignas; eram cheias de doçura, esperança e expectativa. O senhor Jesus devia voltar, e logo voltaria, e o calor de sua presença já enchia de alegria suas almas, este era no fundo o único tema daqueles cantos, cantos de espera orgânica e suave. Nietzsche enxergara muito bem, com seu faro de puta velha, que o cristianismo era no fundo uma religião feminina.

Tudo isso poderia me convir, mas foi ao voltar para minha cela que as coisas desandaram; o detector de fumaça me encarava com seu olhinho vermelho, hostil. Às vezes eu ia fumar na janela, para verificar que ali também as coisas tinham se deteriorado desde Huysmans: a linha do TGV passava no final do parque, a uns duzentos metros dali. Os trens ainda cruzavam em alta velocidade, e o barulho das motrizes nos trilhos quebrava, várias vezes por hora, o silêncio meditativo do lugar. E o frio ficava cada vez mais intenso, e cada uma daquelas posições contemplativas na janela, me levava a me encolher ainda mais por longos minutos encostado no aquecedor do quarto. Meu humor ia azedando, e a prosa de dom Jean-Pierre Longeat, decerto um monge excelente, cheio de boas intenções e amor, me exasperava mais e mais. "A vida deveria ser um constante intercâmbio amoroso, quer estejamos na provação, quer estejamos na alegria", escrevia o frade, "portanto aproveita estes poucos dias para trabalhar essa capacidade de amar e deixar-te amar em palavras e atos." Você está por fora, Idiota, estou sozinho no quarto, eu debochava furioso. "Estás aqui para pousar tuas bagagens e fazer uma viagem em ti mesmo, neste lugar-fonte em que se expressa a força do desejo", ele também escrevia. Meu desejo está na cara, eu fulminava, é só fumar um cigarro, você está vendo que eu estou aqui, Idiota, meu lugar-fonte é esse aí. Ao contrário de Huysmans, eu não me sentia com o coração "empedernido e enfumaçado pelas farras"; mas com os pulmões empedernidos e enfumaçados pelo tabaco, isso sim, sem a menor dúvida.

"Ouve, saboreia e bebe, chora e canta, bate à porta do amor!", exclamava o extático Longeat. Na manhã do terceiro dia entendi que precisava ir embora, aquela temporada estava fadada ao fracasso. Abri-me com frei Pierre sobre responsabilidades profissionais absolutamente imprevistas, de uma amplitude literalmente inacreditável, que me obrigavam infelizmente a encurtar minha permanência. Com sua cabeça de Pierre Moscovici,* eu sabia

* Pierre Moscovici (1957-) é um político socialista considerado muito hábil, ocupou vários cargos no partido e nos governos socialistas; ex-ministro das Finanças de François Hollande, é atualmente comissário europeu de assuntos econômicos e monetários, um dos postos mais cobiçados da União Europeia. (N. T.)

que ele iria acreditar, e talvez ele mesmo tivesse sido uma espécie de Pierre Moscovici numa vida imediatamente anterior, ou seja, entre Pierres Moscovicis era possível nos entendermos, eu sabia que ia dar tudo certo entre nós. No entanto, expressou o desejo, quando nos separamos na recepção do mosteiro, de que minha presença entre eles tivesse sido um caminho de luz. Eu disse que sim, sem a menor dúvida, que tudo tinha se passado super bem, mas nesse momento me senti um pouco aquém de suas expectativas.

Durante a noite, uma área de depressão vinda do Atlântico aproximara-se da França pelo sudoeste, e a temperatura subira dez graus; uma névoa densa cobria o campo em torno de Poitiers. Eu marcara o táxi com muita antecedência, ainda tinha mais ou menos uma hora à toa; passei-a no Bar de l'Amitié, a menos de cinquenta metros do mosteiro, bebendo mecanicamente umas Leffe e Hoegaarden. A garçonete era miúda e estava muito maquiada, os clientes falavam alto — sobre mercado imobiliário e férias, basicamente. Eu não sentia a menor satisfação em me encontrar no meio de meus semelhantes.

V

*Se o islã não é político, não é nada.*

AIATOLÁ KHOMEINI

Na estação de Poitiers precisei mudar minha passagem. O próximo TGV para Paris estava quase completo, paguei o adicional para ter acesso ao espaço TGV Pro Première. Era, segundo a SNCF, um universo privilegiado, que garantia uma conexão wi-fi sem falhas, mesinhas mais largas para dispor os documentos de trabalho, tomadas elétricas para evitar ficar bestamente com o laptop sem bateria; fora isso, era uma primeira classe normal.

Encontrei um assento isolado, sem ninguém na minha frente, e no sentido do deslocamento. Do outro lado do corredor, um homem de negócios árabe de uns cinquenta anos, que devia vir de Bordeaux, vestia uma *djellaba* comprida branca e um *keffieh* também branco, e espalhara várias pastas ao lado de seu computador sobre as mesinhas à sua disposição. Na frente dele, duas moças mal saídas da adolescência — provavelmente suas esposas — tinham feito uma *razzia* de balas e revistas na Relay. Eram vivas e risonhas, usavam vestidos compridos e véus coloridos. Por ora, uma estava mergulhada na *Picsou Magazine*, a outra na *Oops*.

Quanto ao homem de negócios, dava a impressão de estar enfrentando preocupações consideráveis; abrindo sua caixa de mensagens, fez o download de um anexo que continha inúmeras planilhas de Excel; o exame desses documentos pareceu aumentar ainda mais sua aflição. Digitou um número pelo celular e começou uma longa conversa em voz baixa, eu não entendia do que se tratava e tentei sem grande entusiasmo me concentrar na leitura do *Figaro*, que discutia o novo regime recém-instalado na França sob o ângulo do mercado imobiliário de luxo. Desse ponto de vista, a situação era extremamente promissora: entendendo que agora estavam lidando com um país amigo, os habitantes das monarquias do Golfo mostravam-se cada vez mais desejosos de ter um pied-à-terre em Paris ou na Côte d'Azur, e além disso pagavam valores mais altos que os chineses e os russos, enfim, o mercado ia muito bem.

Às gargalhadas, as duas mocinhas árabes estavam entregues ao jogo dos sete erros da *Picsou Magazine*. Levantando os olhos de sua planilha, o homem de negócios lhes dirigiu um sorriso de dolorosa reprovação. Elas sorriram de volta e passaram para o modo do cochicho excitado. Ele pegou de novo o celular e iniciou outra conversa, tão longa e confidencial quanto a primeira. No regime islâmico, as mulheres — quer dizer, as bonitas o suficiente para despertar o desejo de um marido rico — tinham, no fundo, a possibilidade de permanecerem crianças praticamente a vida toda. Pouco depois de saírem da infância, tornavam-se mães e caíam de novo no universo infantil. Seus filhos cresciam, depois elas se tornavam avós, e assim se passavam suas vidas. Por um período curto de tempo elas compravam lingerie sexy, trocando os jogos infantis por jogos sexuais — o que no fundo era mais ou menos a mesma coisa. É claro que perdiam autonomia, mas *fuck autonomy*, e eu devia admitir, de meu lado, que renunciara facilmente, e até com verdadeiro alívio, a toda responsabilidade de ordem profissional ou intelectual, e que não invejava em nada aquele homem de negócios sentado do outro lado do corredor de nosso compartimento no TGV Pro Première, cujo rosto ficava cada vez mais cinzento de angústia à medida que prosseguia sua conversa telefônica, pois visivelmente estava em maus lençóis — nosso trem acabava de ultrapassar a estação de Saint-Pierre-des-Corps. Pelo menos ele teria a compensação de duas esposas graciosas e encantadoras para distraí-lo de suas preocupações de executivo exausto — e talvez tivesse uma ou duas a mais em Paris, vinha-me a lembrança de que eram no máximo quatro, segundo a charia. Quanto a meu pai, tivera... minha mãe, essa vaca neurótica. Eu estremecia diante dessa ideia. Bem, agora ela estava morta, os dois estavam mortos; eu continuava o único testemunho vivo — embora, ultimamente, um pouco cansado — do amor deles.

A temperatura também estava amena em Paris, mas um pouco menos, e uma chuva fina e fria caía na cidade; o trânsito estava pesado na rue de Tolbiac, que me pareceu anormalmente longa, minha impressão era nunca ter cruzado uma rua tão longa, tão sombria, maçante e interminável. Eu não esperava nada específico em meu regresso, apenas chateações variadas. No entanto, para minha grande surpresa, havia uma carta em minha caixa de correio — finalmente algo que não era publicidade, nem conta, nem pedido de esclarecimentos burocráticos. Dei uma olhada de tédio para minha sala, incapaz de ignorar a evidência de que não sentia o menor prazer com a ideia de voltar para casa, para esse apartamento em que ninguém se amava, e que ninguém amava. Servi-me de uma grande taça de calvados antes de abrir a carta.

Estava assinada por Bastien Lacoue, que aparentemente, alguns anos antes — na hora, a informação me escapou —, sucedera a Hugues Pradier à frente das edições La Pléiade. Primeiro ele observava que Huysmans, por uma omissão inexplicável, ainda não entrara no catálogo das edições La Pléiade, quando obviamente fazia parte do corpo dos clássicos da literatura francesa; quanto a isso, eu só podia estar de acordo. Prosseguia afirmando sua convicção de que, se a edição das obras de Huysmans na Pléiade devia ser entregue a alguém, só podia ser, devido à excelência universalmente reconhecida de meus trabalhos, a mim.

Não era o tipo de proposta que se recusa. Bem, claro que se pode recusar, mas então é renunciar a qualquer forma de ambição intelectual ou social — a qualquer forma de ambição, pura e simplesmente. Estaria eu realmente pronto? Precisava de mais uma taça de calvados para refletir sobre a questão. Depois da reflexão, me pareceu mais prudente descer e comprar uma garrafa.

Consegui com facilidade um encontro com Bastien Lacoue, dois dias depois. Sua sala era como eu imaginara, um bocado antiquada, acessível por três andares de uma escada íngreme de madeira, com vista para os jardins internos malconservados. Ele mesmo era um intelectual de tipo comum, com pequenos óculos ovais sem aro, um tanto jovial, o ar satisfeito consigo mesmo, com o mundo e com a posição que ocupava.

Eu tivera tempo de preparar um pouco a conversa, e sugeri uma divisão das obras de Huysmans em volumes, o primeiro reunindo as que iam de *Le dragoir à épices* a *La retraite de monsieur Bougran* (eu fixava 1888 como data de composição mais provável), o segundo dedicado ao ciclo Durtal, de *Là-bas* a *L'oblat*, acrescentando, é claro, *Les foules de Lourdes*. Essa divisão simples, lógica e até evidente não causaria nenhuma dificuldade. A questão das notas era, como sempre, mais espinhosa. Certas edições pseudoeruditas tinham considerado conveniente dedicar notas explicativas aos inúmeros autores, músicos e pintores citados por Huysmans. Isso me parecia perfeitamente inútil, mesmo relegando essas notas ao final do volume. Além do fato de deixarem a obra imensamente pesada, nunca se conseguiria determinar se as notas diziam demais — ou não o suficiente — sobre Lactance, Angèle de Foligno ou Grünewald; quem quisesse saber mais bastava pesquisar por conta própria, e pronto. No que se refere às relações de Huysmans com os escritores de seu tempo — Zola, Maupassant, Barbey d'Aurevilly, Gourmont ou Bloy — era, a meu ver, o papel do prefácio explicitá-las. Também nesse ponto Lacoue logo acatou minha opinião.

Em compensação, as palavras difíceis e os neologismos empregados por Huysmans justificavam amplamente o recurso a um aparato de notas — que eu imaginava mais como notas de rodapé, para não tornar a leitura excessivamente lenta. Ele aquiesceu com entusiasmo. "Você já fez um trabalho considerável a esse respeito no seu *Vertigens dos neologismos*!", disse ele, alegre. Levantei a mão direita com um gesto cheio de reserva, afirmando que, ao contrário, na obra que ele fizera a gentileza de citar, eu apenas aflorara a questão; no máximo a quarta parte do corpus linguístico huysmansiano era abordada ali. Por sua vez ele levantou o braço esquerdo num gesto cheio de serenidade: naturalmente, não queria de jeito nenhum subestimar o trabalho considerável que eu teria a fazer para a elaboração dessa edição; aliás, não havia nenhuma data fixa para o seu término, eu devia me sentir perfeitamente à vontade a esse respeito.

"Afinal, o seu trabalho é para a eternidade..."

"É sempre um pouco pretensioso afirmar isso; mas de fato, sim, essa é a nossa ambição."

A essa declaração, feita com o necessário toque untuoso, seguiu-se um momentinho de silêncio; acho que ia tudo bem, nos fundíamos em torno de valores comuns, essa Pléiade ia ser sopa no mel.

"Robert Rediger lamentou muito a sua saída da Sorbonne depois da... mudança de regime, se podemos dizer assim", prosseguiu, num tom mais lamentoso. "Sei disso porque é um amigo meu. Um amigo pessoal", acrescentou, com um toque de desafio. "Certos professores, de ótimo nível, ficaram. Outros, também de ótimo nível, partiram. Cada uma dessas partidas, como a sua, foi para ele uma mágoa pessoal", concluiu meio bruscamente, como se os deveres da cortesia e os da amizade acabassem de travar dentro dele uma luta difícil.

Eu não tinha rigorosamente nada a responder, e ele acabou notando, depois do silêncio de quase um minuto. "Bem, estou muito feliz que tenha aceitado meu pequeno projeto!", exclamou esfregando as mãos, como se aquilo se tratasse de uma amável farsa que tivéssemos acabado de encenar para o mundo erudito. "Sabe, me parecia absolutamente lamentável e incomum que um homem como você... quer dizer, que um homem de seu nível ficasse de uma hora para outra sem atividade docente, sem publicações, sem nada!" Depois destas palavras, consciente de que seu tom talvez tivesse sido um pouco dramático demais, levantou-se imperceptivelmente da cadeira; também me levantei, com mais vivacidade.

Decerto, para dar mais brilho ao pacto que acabávamos de selar, Lacoue não só me acompanhou até a porta como desceu comigo os três andares ("Cuidado, os degraus são meio traiçoeiros!"), e depois pelos corredores ("É um dédalo!", comentou com humor; na verdade, nem tanto, havia dois corredores que se cruzavam em ângulo reto, e chegávamos direto na recepção), até a saída das Edições Gallimard, na rue Gaston-Gallimard. O ar estava de novo mais frio e mais seco, e então me dei conta de que em nenhum momento tínhamos falado da questão da remuneração. Como se tivesse acabado de ler meus pensamentos, ele aproximou sua mão do meu ombro — sem porém tocá-lo — e falou baixinho: "Vou lhe enviar uma proposta de contrato daqui a uns dias". Acrescentou, sem de fato retomar fôlego: "E depois, no sábado que vem, haverá uma pequena recepção em homenagem à reabertura da Sorbonne. Vou também lhe enviar um convite pelo correio. Sei que Robert ficaria muito feliz se você pudesse comparecer". Desta vez ele me deu abertamente um tapinha no ombro, antes de apertar minha mão. Pronunciara as últimas frases com uma espécie de ligeiro arrebatamento, como se tivesse pensado nisso de improviso, mas nesse momento fiquei com a impressão de que, na verdade, eram estas últimas frases que explicavam e justificavam todo o resto.

A recepção estava programada para as seis da tarde, e aconteceria no último andar do Institut du Monde Arabe, fechado para a ocasião. Eu estava meio preocupado ao entregar o convite na entrada: quem ia encontrar? Sauditas, sem sombra de dúvida; o convite garantia a presença de um príncipe saudita cujo nome reconheci imediatamente, ele era o principal financiador da nova universidade Paris-Sorbonne. Provavelmente meus ex-colegas também, enfim, os que tinham aceitado trabalhar na nova estrutura — mas eu não conhecia nenhum deles, com exceção de Steve, e Steve era a última pessoa que eu queria encontrar naquele momento.

No entanto, reconheci um antigo colega assim que dei uns passos na grande sala iluminada pelos lustres, quer dizer, mal o conhecia pessoalmente, devíamos ter nos falado uma ou duas vezes, mas Bertrand de Gignac gozava de fama mundial no campo da literatura medieval, dava regularmente conferências em Columbia e Yale, e era autor da obra de referência sobre a *Chanson de Roland*. No fundo, era o grande sucesso do qual o reitor da nova universidade podia, em termos de contratações, se vangloriar. Mas, fora isso, no fundo eu não tinha muito a lhe dizer, o campo da literatura medieval era para mim uma terra amplamente desconhecida; portanto, aceitei uns *mezzes* — estavam excelentes, tanto os quentes quanto os frios, e o vinho tinto libanês que os acompanhava não era nada mal.

Mas eu tinha a impressão de que a recepção não estava sendo um franco sucesso. Grupinhos de três a seis pessoas — árabes e franceses misturados — circulavam pela sala magnificamente decorada, trocando raras palavras. A música árabe andaluza, lancinante e sinistra, difundida pelos alto-falantes, não contribuía para melhorar o ambiente, mas o problema não era esse, e entendi de repente, depois de quarenta e cinco minutos perambulando entre os presentes, depois de uns dez *mezzes* e quatro taças de vinho tinto, o que não funcionava: só havia homens. Nenhuma mulher fora convidada, e manter uma vida social aceitável na ausência de mulheres — e sem o suporte do futebol, que teria sido inadequado naquele contexto, afinal, universitário — era uma proposta bem difícil.

Logo em seguida avistei Lacoue, entre um grupo mais compacto que se refugiara num canto da sala, formado, além dele, por uns dez árabes e dois outros franceses. Todos falavam muito animados, a não ser um homem de uns cinquenta anos, nariz fortemente adunco, rosto gordo e severo. Estava vestido de forma simples, com uma longa *djellaba* branca, mas entendi na hora que era o homem mais importante da roda, e talvez o príncipe em pessoa. Um após o outro, todos esboçavam, veementes, o que pareciam ser justificativas, e só ele se mantinha calado, balançando a cabeça de vez em quando, mas seu rosto continuava fechado, era óbvio que havia um problema que não me dizia respeito e dei meia-volta, aceitei uma burreca de queijo e uma quinta taça de vinho.

Um homem de idade, magro, muito alto, de barba comprida rala, aproximou-se do príncipe, que se afastou para lhe falar a sós. Privado de seu centro, o grupo logo se dispersou. Zanzando ao acaso pela sala, em companhia de um dos outros franceses, Lacoue me viu e veio falar comigo, fazendo-me um vago sinal. Realmente, ele não estava em seus melhores dias, e fez as apresentações em voz quase inaudível, nem sequer entendi o nome de seu amigo de cabelos penteados para trás com muito cuidado, e vestindo um magnífico terno e colete azul-noite com imperceptíveis riscas de giz brancas, de um tecido levemente brilhante que parecia de maciez extrema, devia ser seda, e tive vontade de tocá-lo, mas me contive.

O problema é que o príncipe estava tremendamente humilhado porque o ministro da Educação Nacional não tinha ido à recepção, ao contrário do que lhe haviam prometido categoricamente. E não só o ministro não estava lá como não havia nenhum representante do ministério, rigorosamente ninguém, "nem sequer o secretário de Estado para as universidades...", ele concluiu com desalento.

"Não há mais secretário de Estado para as universidades desde a última reforma ministerial, eu já disse!", cortou seu companheiro, irritado. Para ele, a situação era ainda mais grave do que Lacoue pensava: o ministro tencionava ir, como lhe confirmara ainda na véspera, mas fora o próprio presidente Ben Abbes que interviera para dissuadi-lo, com o objetivo explícito de humilhar os sauditas. O que ia no mesmo sentido de outras medidas recentes, muito mais relevantes, como a retomada do programa nuclear civil e o novo programa de incentivos ao carro elétrico: tratava-se, para o governo, de conseguir a curto prazo uma independência energética total em relação ao petróleo saudita; evidentemente, isso não era um bom negócio para a universidade islâmica Paris-Sorbonne, mas me parecia que era sobretudo seu reitor que deveria se preocupar, e nesse momento vi Lacoue virar-se para um homem de uns cinquenta anos que acabava de entrar na sala e se dirigia para nós a passos rápidos. "Aí está Robert!", ele disse com enorme alívio, como se acolhesse o Messias.

Mesmo assim teve tempo de me apresentar a ele, desta vez com voz audível, antes de pô-lo a par da situação. Rediger apertou minha mão energicamente, quase a esmagando entre suas palmas poderosas, e me garantiu estar muito feliz de me encontrar, pois fazia tempo que esperava esse momento. Fisicamente, era muito impressionante: altíssimo, talvez um pouco mais de um metro e noventa, e também fortíssimo, peito largo, musculatura bem-desenvolvida, a bem da verdade tinha mais o físico de pilar de rúgbi do que de professor universitário. Seu rosto bronzeado, marcado por rugas profundas, tinha ao alto cabelos inteiramente brancos mas cheios, cortados em escovinha. Vestia-se de um jeito bem incomum, jeans e jaqueta de aviador de couro preto.

Lacoue lhe explicou rapidamente o problema: Rediger balançou a cabeça, resmungou que pressentira algo do gênero, e depois de uma curta reflexão concluiu: "Vou chamar Delhommais. Ele saberá o que fazer". Em seguida, tirou da jaqueta um minúsculo celular em concha, quase feminino, que parecia menor ainda em sua mão, e se afastou uns metros para digitar o número. Lacoue e seu colega olhavam para ele sem se atrever a se aproximar, paralisados numa espera angustiada, começavam a me encher um pouco com suas histórias, e, mais que isso, eu os achava uns cretinos completos, claro que era preciso cuidar dos petrodólares com todo o carinho, se podemos dizer assim, mas afinal, bastaria pegar qualquer comparsa e apresentá-lo, não como o ministro, pois ele aparecia bastante na televisão, mas como seu chefe de gabinete, não precisavam procurar muito longe, aquele palhaço de terno e colete faria um perfeito chefe de gabinete, e os sauditas ficariam deslumbrados, realmente eles complicavam a vida por muito pouco, bem, isso era problema deles, aceitei uma última taça de vinho e saí para o terraço, a vista da Notre-Dame iluminada era de fato magnífica, a temperatura estava ainda mais amena e a chuva tinha parado, a luz da lua era refletida nas ondulações do Sena.

Devo ter ficado muito tempo nessa contemplação, e quando voltei para a sala a assistência tinha escasseado, embora continuando a ser, é claro, exclusivamente masculina, e eu não via Lacoue nem o terno-e-colete. Bem, não tinha vindo propriamente à toa, pensei, ao apanhar o folheto do bufê libanês, realmente os *mezzes* deles eram bons, e além disso entregavam em casa, assim eu poderia variar do indiano. Na hora em que ia passar na chapelaria, Rediger se aproximou de mim. "Já está indo?...", perguntou, afastando ligeiramente os braços com um ar desconsolado. Perguntei se tinham conseguido resolver o problema protocolar. "Sim, afinal consegui dar um jeito. O ministro não virá esta noite mas telefonou pessoalmente para o príncipe e o convidou para um café da manhã de trabalho, amanhã, no ministério. Dito isso, Schrameck tinha razão, e fiquei temeroso: era nada menos do que uma humilhação deliberada por parte de Ben Abbes, que retoma cada vez mais suas amizades de juventude com os catarianos. Bem, ainda temos muita amolação pela frente. Enfim..." Sacudiu a mão direita como para enxotar esse assunto inoportuno, e a colocou em meu ombro. "Mas estou de fato aborrecido que esse contratempo tenha impedido que conversássemos. Você precisa vir tomar um chá em minha casa um dia desses, para que a gente tenha um pouco mais de tempo..." Sorriu-me bruscamente; tinha um sorriso encantador, muito aberto, quase infantil, bastante surpreendente num homem de jeito tão viril; penso que sabia disso, e que sabia se servir disso. Entregou-me seu cartão. "E se marcássemos para quarta que vem, lá pelas cinco da tarde? Estaria livre?" Respondi que sim.

Quando estava no metrô, examinei o cartão de visita de meu novo conhecido; parecia elegante e de bom gosto, até onde eu podia dizer. Rediger dispunha de um número de telefone pessoal, dois números profissionais, dois números de fax (um pessoal, outro profissional), três endereços de internet com atribuições maldefinidas, dois números de celulares (um francês, outro inglês) e um identificador de Skype; seja como for, eis um homem que se dava os meios de ser encontrado. Decididamente, depois de Lacoue eu começava a transitar em altas esferas, era quase inquietante.

Ele também dispunha de um endereço na rue des Arènes, 5, e por ora era a única informação necessária. Eu tinha a vaga ideia de que a rue des Arènes era uma ruazinha encantadora que dava na pracinha das Arènes de Lutèce, por sua vez um dos recantos mais deliciosos de Paris. Ali havia açougues e queijarias recomendados por Petitrenaud e por Pudlowski — quanto aos produtos italianos, nem se fala. Tudo isso me tranquilizava ao extremo.

No metrô Place Monge, tive a má ideia de pegar a saída "Arènes de Lutèce". Sem dúvida, no aspecto topográfico isso era justificado, eu ia dar direto na rue des Arènes; mas esqueci que essa saída não tinha elevador, e que o metrô Place Monge ficava a cinquenta metros abaixo do nível da rua; eu estava exausto e sem fôlego quando saí dessa curiosa boca de metrô, aberta na muralha do jardim, com suas colunas grossas e sua tipografia de inspiração cubista, cuja aparência geral neobabilônica era absolutamente incongruente em Paris — como, aliás, teria sido mais ou menos em qualquer lugar na Europa.

Ao chegar à rue des Arènes, 5, percebi que Rediger morava não só numa rua encantadora do quinto arrondissement como numa *mansão particular* numa rua encantadora do quinto arrondissement, e, melhor ainda, numa mansão particular *histórica*. O número 5 não era outro senão o dessa inacreditável construção neogótica, tendo na lateral uma torrinha quadrada que pretendia evocar um torreão de fortaleza, e na qual Jean Paulhan vivera de 1940 até sua morte, em 1968. Pessoalmente, jamais consegui suportar Jean Paulhan, nem seu lado *eminência parda* nem suas obras, mas devia reconhecer que ele fora um dos personagens mais poderosos da edição francesa no pós-guerra; e que vivera numa linda casa. Minha admiração pelos recursos financeiros postos à disposição da nova universidade pela Arábia Saudita só fazia crescer.

Toquei a campainha e fui recebido por um mordomo cujo uniforme branco-creme, e um casaco de gola Mao, lembravam um pouco o traje do antigo ditador Kadhafi. Apresentei-me, ele se inclinou ligeiramente, na verdade eu era esperado. Pediu-me para aguardar num hallzinho iluminado por vitrais enquanto ia chamar o professor Rediger.

Estava esperando fazia uns dois ou três minutos quando uma porta se abriu à esquerda e uma moça de uns quinze anos, vestindo um jeans de cintura baixa e uma camiseta da Hello Kitty, entrou no aposento; seu cabelo comprido preto balançava livremente nos ombros. Ao me ver, deu um grito, tentou desajeitadamente esconder o rosto com as mãos e deu meia-volta correndo. No mesmo instante Rediger apareceu no patamar superior e desceu a escada para me encontrar. Assistira ao incidente e fez um gesto resignado, estendendo-me a mão.

"É Aïcha, minha nova esposa. Ela vai ficar muito encabulada, porque você não devia vê-la sem véu."

"Sinto muitíssimo."

"Não, não se desculpe, é culpa dela; deveria ter perguntado se havia um convidado antes de passar pelo hall de entrada. Enfim, ainda não está acostumada com a casa, mas vai se acostumar."

"É, parece bem nova."

"Acaba de fazer quinze anos."

Segui Rediger até o primeiro andar, a um grande salão-biblioteca, de paredes muito altas e pé-direito que devia beirar os cinco metros. Uma das paredes estava inteiramente coberta de livros, observei de relance que havia uma profusão de edições antigas, sobretudo do século XIX. Duas escadas metálicas sólidas, montadas sobre roldanas, permitiam ter acesso às prateleiras mais altas. Do outro lado, vasos de plantas estavam pendurados numa treliça de madeira escura pregada ao longo de toda a altura da parede. Havia heras, samambaias e uma vinha virgem cuja folhagem descia em cascata do teto ao chão, serpenteando os quadros, uns com reproduções de versículos do Alcorão, outros com fotos em formato grande, reveladas em papel fosco, que representavam conjuntos galácticos, supernovas, nebulosas em espiral. Num canto, uma grande escrivaninha estilo Diretório ficava de viés para a sala. Rediger me levou até o canto oposto, onde poltronas de um tecido surrado de listas vermelhas e verdes rodeavam uma mesa de centro larga com um tampo de cobre.

"Posso realmente oferecer um chá, se você gostar", disse, convidando-me a sentar. "Também posso oferecer bebidas alcoólicas, uísque, porto, o que quiser. E um excelente Meursault."

"Então vamos de Meursault", respondi, mesmo assim um pouco intrigado, pois parecia que o islã condenava o consumo de álcool, pelo menos era o que eu sabia, mas no fundo aquela era uma religião que eu conhecia mal.

Ele desapareceu, talvez para pedir que nos trouxessem a bebida. Minha poltrona ficava em frente à janela alta, antiga, de vidraças separadas por cruzetas de chumbo, que dava para as arenas. Era uma vista extraordinária, acho que pela primeira vez eu tinha uma visão tão completa do conjunto das arquibancadas. No entanto, minutos depois me aproximei da biblioteca; também era impressionante.

Duas prateleiras da parte inferior estavam repletas de volumes de 21 x 29,7 cm. Eram teses, defendidas em diversas universidades europeias; olhei o título de algumas antes de topar com uma de filosofia, defendida na universidade católica de Louvain-la-Neuve, assinada por Robert Rediger, e intitulada *Guénon leitor de Nietzsche*. Estava tirando-a da prateleira quando Rediger entrou na sala; levei um susto, como se estivesse fazendo algo errado, e esbocei o gesto de recolocá-la. Ele se aproximou, sorrindo: "Não tem problema, não há nada de secreto. E, além disso, a curiosidade em relação ao conteúdo de uma biblioteca, para alguém como você, é quase um dever profissional...".

Aproximando-se mais, viu o título do volume. "Ah, você encontrou a minha tese...". Balançou a cabeça. "Consegui meu doutorado com ela; mas não era uma tese excelente. Em todo caso, é bem inferior à sua. Digamos que eu forçava um pouco os textos, como se diz. Guénon, refletindo bem, não foi tão influenciado assim por Nietzsche; sua rejeição ao mundo moderno é igualmente forte, mas ele vem de fontes radicalmente diferentes. Com toda a certeza hoje eu não a faria da mesma maneira. Também tenho a sua...", prosseguiu, tirando da prateleira outro volume mimeografado. "Você sabe que se conservam cinco exemplares nos arquivos da universidade. Bem, levando em conta o número de pesquisadores que se apresentam todo ano para consultá-los, pensei que eu podia me apropriar de uma."

Mal conseguia escutá-lo, estava à beira do colapso. Fazia quase vinte anos que não me via em presença de *Joris-Karl Huysmans, ou a saída do túnel*; a grossura do volume era inacreditável, quase constrangedora — eram, lembrei-me num lampejo, setecentas e oitenta e oito páginas. Afinal, eu dedicara sete anos de minha vida a isso.

Com minha tese ainda na mão, ele voltou para a poltrona. "Foi realmente um trabalho fantástico...", insistiu. "Ele me fez pensar muito no jovem Nietzsche, no de *O nascimento da tragédia*."

"Você está exagerando..."

"Não, não creio. *O nascimento da tragédia* também era uma espécie de tese; e nos dois casos há essa inacreditável prodigalidade, essa profusão de ideias projetadas nas páginas sem a menor preparação, que tornam o texto, a bem da verdade, quase ilegível — o que é surpreendente, diga-se de passagem, é que você tenha insistido nesse ritmo por quase oitocentas páginas. A partir das *Considerações inatuais* Nietzsche se acalmou, compreendeu que não é possível infligir ao leitor uma quantidade exagerada de ideias, que é preciso transigir, deixá-lo retomar fôlego. Você também, em *Vertigens dos neologismos*, teve a mesma evolução, e o livro ficou mais acessível. A diferença é que, depois, Nietzsche continuou."

"Eu não sou Nietzsche..."

"Não, você não é Nietzsche. Mas é alguma coisa, alguma coisa interessante. E, me desculpe a brutalidade, é alguma coisa que eu quero. É melhor colocar logo as cartas na mesa, pois você já entendeu: desejo convencê-lo a retomar seu posto docente na universidade Paris-Sorbonne, que eu dirijo."

Nesse momento a porta se abriu, o que me evitou ter de responder, e uma mulher de uns quarenta anos, gordinha e de jeito bondoso, apareceu trazendo uma bandeja na qual estavam dispostos pasteizinhos quentes e um balde de gelo contendo a prometida garrafa de Meursault.

"Esta é Malika, minha primeira esposa", disse quando ela saiu, "hoje você parece fadado a encontrar minhas esposas. Casei com ela quando ainda estava na Bélgica. Pois é, sou de origem belga... Aliás, continuo a ser belga, nunca me naturalizei, embora faça vinte anos que esteja na França."

Os pasteizinhos quentes estavam uma delícia, condimentados mas não muito, e reconheci o sabor do coentro. O vinho era sublime. "Acho que não se fala o suficiente do Meursault!", comentei entusiasmado. "O Meursault é uma síntese, é como se fossem muitos vinhos dentro de um só, você não acha?" Minha vontade era falar de qualquer coisa menos de meu futuro universitário, mas não alimentava ilusões, ele ia voltar ao assunto.

Voltou, depois de um tempo decente de silêncio. "É bom que tenha aceitado supervisionar essa edição da Pléiade. Afinal, é algo evidente, legítimo e bom. Quando Lacoue me falou disso, o que eu podia lhe responder? Que era uma escolha natural, uma escolha legítima; e que era, também, a melhor escolha. Vou lhe falar muito francamente: com exceção de Gignac, é verdade que até agora não consegui contar com a colaboração de professores realmente respeitados, que se beneficiem de uma verdadeira estatura internacional; bem, está longe de ser algo dramático, a universidade acaba de abrir; mas o fato é que na nossa conversa eu é que estou mais na posição de pedinte, não tenho muito a lhe oferecer. Quer dizer, sim, no plano financeiro tenho muito a lhe oferecer, você bem sabe, e afinal tudo isso também conta. Mas no plano intelectual esse posto na Sorbonne é menos prestigioso que a supervisão de uma edição da Pléiade; tenho consciência disso. Mas posso pelo menos me comprometer, me comprometer a título pessoal, a não deixar que perturbem seu verdadeiro trabalho. Você só deverá assumir cursos fáceis, cursos de auditório para o primeiro e o segundo anos. A assistência aos doutorandos — sei que é desgastante, eu mesmo já fiz muito isso — lhe será poupada. Posso perfeitamente dar um jeito, no plano estatutário."

Ele se calou, e tive a nítida impressão de que esgotara um primeiro estoque de argumentos. Deu um primeiro gole no Meursault, eu me servi de uma segunda taça. Acho que nunca tinha me acontecido de me sentir assim tão *desejável*. O mecanismo da glória é penoso, talvez minha tese fosse mesmo tão genial quanto ele alegava, para falar a verdade eu mal me lembrava dela, as reviravoltas intelectuais que eu tinha dado na época de minha primeira juventude me pareciam muito distantes, o fato é que eu me beneficiava de uma espécie de *aura,* quando na verdade eu agora aspirava apenas a ler um pouco, a me deitar às quatro da tarde com um maço de cigarros e uma garrafa de bebida forte, mas também devia reconhecer que nessa toada eu ia morrer, morrer depressa, infeliz e só, e será que eu tinha vontade de morrer depressa, infeliz e só? Em última análise, mais ou menos.

Terminei meu copo, servi-me de mais um, o terceiro. Pelo janelão envidraçado, eu via o sol se pondo sobre as arenas; o silêncio se tornava meio constrangedor. Bem, ele queria *colocar as cartas na mesa*, e eu também.

"Mas há uma condição...", eu disse, prudente. "Uma condição que não é insignificante..."

Ele balançou lentamente a cabeça.

"Você acha... Você acha que sou alguém que poderia se converter ao islã?"

Pendeu a cabeça para baixo, como mergulhasse em intensas reflexões pessoais; depois, ergueu os olhos para mim e respondeu: "Sim."

No instante seguinte tornou a dar seu grande sorriso luminoso, cândido. Era a segunda vez que eu era brindado com esse sorriso, o choque foi um pouco menos intenso; mas ainda assim seu sorriso continuava a ser tremendamente eficaz. De qualquer maneira, agora cabia a ele falar. Engoli, um depois do outro, dois pasteizinhos já mornos. O sol desapareceu atrás das arquibancadas, a noite invadiu as arenas; era espantoso pensar que lutas de gladiadores e feras tinham de fato acontecido ali, uns dois mil anos antes.

"Você não é católico, o que poderia constituir um obstáculo...", recomeçou, suave.

Não, de fato; não se podia afirmar isso.

"E também não penso que seja propriamente ateu. No fundo, verdadeiros ateus são raros."

"Você acha? Ao contrário, eu tinha a impressão de que o ateísmo era universalmente difundido no mundo ocidental."

"Ao meu ver, ele é superficial. Os únicos verdadeiros ateus que encontrei eram *revoltados*; não só se contentavam em verificar friamente a inexistência de Deus como recusavam essa existência, à maneira de Bakunin: 'E, mesmo se Deus existisse, seria preciso livrar-se dele...', em suma, eram ateus a Kirilov, rejeitavam Deus porque queriam pôr o homem em seu lugar, eram humanistas, tinham uma alta ideia da liberdade humana, da dignidade humana. Suponho que você também não se reconhece nesse perfil?"

Não, nesse também não, de fato; só a palavra humanismo já me dava uma leve vontade de vomitar, mas talvez fossem os pasteizinhos quentes, eu tinha abusado deles; bebi mais uma taça de Meursault para ver se passava.

"O que há", ele continuou, "é que a maior parte das pessoas vive sua vida sem se preocupar demais com essas questões, que parecem a elas exageradamente filosóficas; só pensam nisso quando são confrontadas a um drama — uma doença grave, a morte de um próximo. Bem, isso é verdade no Ocidente, porque em qualquer outro lugar do mundo é em nome dessas questões que os seres humanos morrem e matam, travam guerras sangrentas, e isso desde a origem da humanidade: é por essas questões metafísicas que os homens combatem, e com certeza não por taxas de crescimento, nem pela partilha de territórios de caça. Mas, mesmo no Ocidente, o ateísmo não tem base sólida. Quando falo de Deus com as pessoas, em geral começo emprestando a elas um livro de astronomia..."

"É verdade que essas suas fotos são muito bonitas."

"Sim, a beleza do Universo é fantástica; e seu gigantismo, sobretudo, é estarrecedor. Centenas de bilhões de galáxias, compostas cada uma de centenas de bilhões de estrelas, sendo que algumas estão a bilhões de anos-luz — centenas de bilhões de bilhões de quilômetros. E, na escala do bilhão de anos-luz, começa a se constituir uma ordem: os conjuntos galácticos se dividem para formar um grafo labiríntico. Exponha esses fatos científicos a cem pessoas escolhidas ao acaso na rua: quantas terão a coragem de afirmar que tudo isso foi criado *ao acaso*? Ainda por cima, o Universo é relativamente jovem — quinze bilhões de anos, no máximo. É o famoso argumento do macaco datilógrafo: quanto tempo um chimpanzé levaria, batendo ao acaso no teclado de uma máquina, para reescrever a obra de Shakespeare? Quanto tempo um acaso cego levaria para reconstruir o Universo? Certamente, bem mais de quinze bilhões de anos! E não é apenas o ponto de vista do homem da rua, é também o dos maiores cientistas; talvez não tenha havido espírito mais brilhante na história da humanidade que o de Isaac Newton — pense nesse esforço intelectual extraordinário, inacreditável, que consistiu em unir numa mesma lei a queda dos corpos terrestres e o movimento dos planetas! Pois bem, Newton acreditava em Deus, acreditava firmemente, a tal ponto que dedicou seus últimos anos de vida a estudos de exegese bíblica — o único texto sagrado que lhe era realmente acessível. Einstein tampouco era ateu, embora a natureza exata de sua crença seja mais difícil de definir; mas quando objeta a Bohr que 'Deus não joga dados', não está brincando, parece-lhe inconcebível que as leis do Universo sejam governadas pelo acaso. O argumento do 'Deus relojoeiro', que Voltaire julgava irrefutável, permaneceu tão forte como no século XVIII, até ganhou em pertinência, à medida que a ciência tecia laços cada vez mais estreitos entre a astrofísica e a mecânica das partículas. No fundo, não é até um pouco ridículo ver essa criatura frágil, vivendo num planeta anônimo de um braço distante de uma galáxia ordinária, erguer-se sobre suas patinhas e proclamar: 'Deus não existe'? Bem, me desculpe, sou muito prolixo..."

"Não, não se desculpe, isso realmente me interessa...", eu disse com franqueza; na verdade começava a ficar de saco cheio, e uma olhada de soslaio me informou que a garrafa de Meursault estava vazia.

"É verdade", prossegui, "que meu ateísmo não se fundamenta em bases muito sólidas; seria presunçoso de minha parte afirmar isso."

"Presunçoso, sim, essa é a palavra; no fundo do humanismo ateu há um orgulho, uma arrogância inacreditáveis. E até a ideia cristã da encarnação demonstra uma pretensão um pouco cômica. Deus se fez homem... Por que Deus não teria encarnado de preferência como um habitante de Sirius, ou da galáxia de Andrômeda?"

"Você acredita na vida extraterrestre?", interrompi-o com surpresa.

"Não sei, não costumo pensar nisso, mas é só uma questão de aritmética: levando em conta as miríades de estrelas que povoam o Universo, planetas múltiplos que gravitam em torno de cada uma delas, seria muito surpreendente que a vida tenha se manifestado apenas na Terra. Mas pouco importa, o que quero dizer é que o Universo traz obviamente a marca de um desígnio inteligente, que é obviamente a realização de um projeto concebido por uma inteligência gigantesca. E essa ideia simples, mais cedo ou mais tarde, se imporia de novo, isso eu entendi muito jovem. Todo o debate intelectual do século XX se resumira a uma oposição entre o comunismo — digamos, a variante *hard* do humanismo — e a democracia liberal — sua variante suave; era, ainda assim, tremendamente redutor. O retorno do religioso, de que então se começava a falar, eu já sabia, creio que desde os meus quinze anos, que era inelutável. Minha família era bastante católica — bem, isso já era algo meio distante, meus avós é que eram católicos —, então, naturalmente, eu me virei em primeiro lugar para o catolicismo. E desde meu primeiro ano de universidade me aproximei do movimento identitário."

Devo ter feito um visível gesto de surpresa, pois ele se interrompeu e me observou com um meio sorriso. No mesmo instante bateram à porta. Ele respondeu em árabe, e Malika reapareceu, trazendo mais uma bandeja com uma cafeteira, duas xícaras e um prato de *baklavas* de pistache e pasteizinhos folheados. Tinha também uma garrafa de Boukha e dois copinhos.

Rediger nos serviu o café antes de prosseguir. Estava amargo, fortíssimo e me fez muito bem, recuperei na mesma hora toda a minha lucidez.

"Nunca escondi meus engajamentos de juventude...", prosseguiu. "E meus novos amigos muçulmanos jamais pensaram em me censurar; parecia a eles perfeitamente normal que, em minha busca por um caminho para sair do humanismo ateu, eu me voltasse em primeiro lugar para minha tradição de origem. Aliás, não éramos racistas nem fascistas — bem, sim, para ser totalmente honesto, certos identitários não estavam muito longe disso; mas eu, em nenhuma hipótese, nunca. Os fascismos sempre me pareceram uma tentativa espectral, uma visão de pesadelo, falsa, para tornar a dar vida a nações mortas; sem a cristandade as nações europeias não eram mais que corpos sem alma — zumbis. Por fim: a cristandade conseguiria reviver? Acreditei que sim, acreditei nisso alguns anos — com dúvidas crescentes, pois estava cada vez mais marcado pelo pensamento de Toynbee, por sua ideia de que as civilizações não morrem assassinadas, mas se suicidam. E depois tudo desmoronou em um dia — para ser mais preciso, no dia 30 de março de 2013; lembro que era o fim de semana de Páscoa. Na época eu vivia em Bruxelas, e ia de vez em quando tomar uma bebida no bar do Métropole. Sempre gostei do estilo art nouveau; há coisas magníficas em Praga ou Viena, há também certos prédios interessantes em Paris ou Londres, mas para mim, errado ou certo, o apogeu da decoração art nouveau era o hotel Métropole de Bruxelas, e mais ainda seu bar. Na manhã de 30 de março, eu por acaso passava em frente dali e vi um pequeno cartaz anunciando que o bar do Métropole fecharia definitivamente as portas naquela noite. Fiquei pasmo; fui falar com os garçons. Eles confirmaram; não sabiam as razões exatas do fechamento. Pensar que até então era possível pedir sanduíches e cervejas, chocolates vienenses e doces cremosos naquela obra-prima absoluta da arte decorativa, que era possível viver a vida cotidiana cercado pela beleza, e que tudo aquilo ia desaparecer, de uma só vez, em pleno coração da capital da Europa!... Sim, foi nesse momento que entendi: a Europa já cometera seu suicídio. Como leitor de Huysmans, você certamente ficou tão agastado quanto eu com seu pessimismo inveterado, suas imprecações repetidas contra as mediocridades de seu tempo. E olhe que ele vivia numa época em que as nações europeias estavam em seu apogeu, à frente de imensos impérios coloniais, e dominavam o mundo!... Numa época extraordinariamente brilhante tanto do ponto de vista tecnológico — as estradas de ferro, a luz elétrica, o telefone, o fonógrafo, as construções metálicas de Eiffel — como do ponto de vista artístico — aí há realmente nomes demais para citar, seja na literatura, na pintura, na música..."

Obviamente ele tinha razão; e até do ponto de vista mais restrito da "arte de viver", a degradação era considerável. Ao aceitar um *baklava* que Rediger me oferecia, lembrei-me de um livro que eu lera anos antes, dedicado à história dos bordéis. Na iconografia da obra, havia a reprodução do prospecto de um bordel parisiense da Belle Époque. Eu sentira um verdadeiro choque ao verificar que certas especialidades sexuais propostas por *Mademoiselle Hortense* não me evocavam absolutamente nada; eu não via, nem de longe, o que poderiam ser a "viagem em terra amarela" nem o "sabonete imperial russo". A lembrança de certas práticas sexuais tinha, assim, num século, desaparecido da memória dos homens — um pouco como desapareciam certas atividades artesanais, tais quais as dos tamanqueiros ou dos carrilhoneiros. Como, na verdade, não aderir à ideia da decadência da Europa?

"Essa Europa que estava no auge da civilização humana realmente se suicidou, no espaço de alguns decênios", continuou Rediger com tristeza; ele não tinha acendido a luz, a sala só estava iluminada pelo abajur que havia em sua mesa. "Houve em toda a Europa os movimentos anarquistas e niilistas, o apelo à violência, a negação de qualquer lei moral. E depois, alguns anos mais tarde, tudo terminou por essa loucura injustificável da Primeira Guerra Mundial. Freud não se enganou, Thomas Mann também não: se a França e a Alemanha, as duas nações mais avançadas, mais civilizadas do mundo, eram capazes de se entregar a essa carnificina insensata, então era porque a Europa estava morta. Portanto, passei aquela última noite no Métropole, até seu fechamento. Voltei para casa a pé, atravessando a metade de Bruxelas, margeando o bairro das instituições europeias — essa fortaleza lúgubre, cercada de casebres. No dia seguinte fui ver um imã em Zaventem. E no outro dia — segunda-feira de Páscoa —, em presença de umas dez testemunhas, pronunciei a fórmula ritual da conversão ao islã."

Eu não tinha certeza de partilhar seu ponto de vista sobre o papel decisivo da Primeira Guerra Mundial; sem dúvida, fora uma carnificina indesculpável, mas a guerra de 1870 já era razoavelmente absurda, pelo menos na descrição de Huysmans, e já depreciara seriamente toda forma de patriotismo; as nações em seu conjunto não passavam de uma absurdidade assassina, e isso todos os seres humanos um pouco conscientes tinham provavelmente percebido desde 1871; daí decorriam, parece-me, o niilismo, o anarquismo e todas essas porcarias. Quanto às civilizações mais antigas, eu realmente não estava informado. A noite caíra sobre a pracinha das Arènes de Lutèce, os últimos turistas tinham desertado o lugar; os raros postes de luz espalhavam sobre as arquibancadas uma claridade fraca. Certamente os romanos tiveram a sensação de ser uma civilização eterna, logo antes da queda de seu império; teriam, eles também, se suicidado? Roma foi uma civilização brutal, competente ao extremo no plano militar — uma civilização cruel também, em que as distrações propostas à massa eram combates mortais entre homens, ou entre homens e feras. Teria havido entre os romanos um desejo de desaparecer, uma falha secreta? Rediger com certeza tinha lido Gibbon, ou outros autores do gênero, de quem eu conhecia, no máximo, o nome, e não me sentia em perfeitas condições de sustentar a conversa.

"Realmente eu falo demais...", ele disse, esboçando um gesto de desagrado. Serviu-me de uma dose de Boukha, passou-me de novo a bandeja de doces; estavam excelentes, o contraste com o amargo da aguardente de figo era delicioso. "É tarde, acho melhor ir embora", eu disse com hesitação; na verdade, não tinha tanta vontade de ir.

"Espere!" Levantou-se e se dirigiu à sua escrivaninha; logo atrás havia umas estantes com dicionários e manuais. Voltou com um livrinho assinado por ele, publicado numa coleção de bolso ilustrada, intitulado *Dez perguntas sobre o islã.*

"Estou lhe infligindo três horas de proselitismo religioso, quando na verdade já escrevi um livro sobre o assunto. Isso deve estar se tornando uma segunda natureza... Mas talvez já tenha ouvido falar dele?"

"Já, o livro vendeu muito bem, não foi?"

"Três milhões de exemplares", desculpou-se. "Parece que desenvolvi um dom absolutamente imprevisto para a vulgarização. É claro que é tremendamente esquemático...", desculpou-se de novo, "mas ao menos poderá lê-lo depressa."

Eram 128 páginas, e um monte de iconografia — essencialmente reproduções de arte islâmica; de fato, não me tomaria muito tempo. Guardei o livro na mochila.

Ele nos serviu de mais duas doses de Boukha. Lá fora, a lua se levantara, iluminava plenamente as arquibancadas das arenas, sua claridade agora estava nitidamente mais forte que a dos postes; observei que as reproduções fotográficas dos versículos do Alcorão e das galáxias, penduradas no meio da parede vegetal, estavam iluminadas por lampadazinhas individuais.

"Você vive numa linda casa..."

"Levei anos para tê-la, realmente não foi fácil, acredite...". Ele se inclinou na cadeira, e desta vez tive a impressão, pela primeira vez desde minha chegada, de um real abandono: o que ia me dizer agora era importante para ele, não havia a menor dúvida. "Evidentemente, não é Paulhan que me interessa, quem pode se interessar por Paulhan? Mas para mim é uma felicidade de todo instante viver na casa onde Dominique Aury escreveu *Histoire d'O*, pelo menos onde vivia o amante por cujo amor ela escreveu esse livro. É um livro fascinante, não acha?"

Eu era da mesma opinião. *Histoire d'O*, em princípio, tinha tudo para me desagradar: as fantasias expostas me repugnavam, e o conjunto era de um kitsch exibicionista — o apartamento da île Saint-Louis, o palacete do faubourg Saint-Germain, *Sir Stephen*, em suma, tudo aquilo era de encher completamente o saco. Pouco importa, o livro era perpassado por uma paixão e por um alento que arrastavam tudo.

"É a submissão", disse suavemente Rediger. "A ideia assombrosa e simples, jamais expressada antes com essa força, de que o auge da felicidade humana reside na submissão mais absoluta. É uma ideia que eu hesitaria em expor perante meus correligionários, que eles talvez julgassem blasfematória, mas para mim há uma relação entre a absoluta submissão da mulher ao homem, tal como a descreve *Histoire d'O*, e a submissão do homem a Deus, tal como o encara o islã. Veja bem", continuou, "o islã aceita o mundo, e aceita-o em sua integralidade, aceita o mundo *como ele é,* para falar como Nietzsche. O ponto de vista do budismo é que o mundo é *dukkha* — inadequação, sofrimento. O próprio cristianismo manifesta sérias reservas — Satanás não é qualificado como 'príncipe deste mundo'? Para o islã, ao contrário, a criação divina é perfeita, é uma obra-prima completa. No fundo, o que é o Alcorão senão um imenso poema místico de louvação? De louvação ao Criador e de submissão às suas leis. Em geral não aconselho às pessoas que desejam se aproximar do islã começarem pela leitura do Alcorão, a não ser, é claro, se quiserem fazer o esforço de aprender árabe e mergulharem no texto original. Aconselho-as, em vez disso, a escutar a leitura das suratas, repeti-las, sentir sua respiração e seu alento. O islã é, afinal, a única religião que proibiu qualquer tradução no uso litúrgico; porque o Alcorão é inteiramente composto de ritmos, de rimas, de refrões, de assonâncias. Repousa nesta ideia, na ideia de base da poesia, de uma união da sonoridade com o sentido, que permite expressar o mundo."

Houve mais um gesto de desculpa, penso que ele fingia estar um pouco constrangido com o próprio proselitismo, ao mesmo tempo devia estar mais que consciente de que já apresentara esse discurso a inúmeros professores que desejava convencer; suponho que a observação sobre a recusa de tradução do Alcorão, por exemplo, acertara na mosca no caso de Gignac, esses especialistas de literatura medieval costumam ver com maus olhos a transposição em francês contemporâneo do objeto de sua devoção; mas, afinal de contas, surrados ou não, ainda assim seus argumentos conservavam toda sua força. E eu não podia deixar de pensar em seu modo de vida: uma esposa de quarenta anos para a cozinha, uma de quinze para outras coisas... talvez ele tivesse uma ou duas esposas de idade intermediária, mas eu não via como lhe fazer essa pergunta. Desta vez me levantei decidido, para me despedir, agradeci-lhe pela tarde apaixonante, que aliás se prolongara pela noite. Ele me disse que passara também um excelente momento, enfim, houve uma espécie de invectiva de cortesias na soleira da porta; mas nós dois estávamos sendo sinceros.

De volta para casa, depois de rolar na cama por mais de uma hora, percebi que decididamente não ia conseguir dormir. Não tinha mais quase nada para beber, só uma garrafa de rum, o que não combinaria com a Boukha, mas eu precisava beber. Pela primeira vez na vida comecei a pensar em Deus, a cogitar seriamente na ideia de uma espécie de Criador do Universo, que vigiaria cada um de meus atos, e minha primeira reação foi muito clara: foi, muito simplesmente, o medo. Pouco a pouco me acalmei, com a ajuda do álcool, repetindo-me que eu era um indivíduo relativamente insignificante, que com certeza o Criador tinha mais o que fazer etc., mas mesmo assim persistia a ideia, aterradora, de que de repente ele tomaria consciência de minha existência, de que *faria sentir o peso de sua mão*, e de que, por exemplo, eu teria um câncer de mandíbula, como Huysmans, aquele era um câncer frequente entre os fumantes, Freud também tivera um, sim, um câncer de mandíbula parecia plausível. Como é que eu faria, depois de uma ablação do maxilar? Como é que eu poderia sair na rua, ir ao supermercado, fazer minhas compras, aguentar os olhares de compaixão e nojo? E se não pudesse mais fazer minhas compras, quem as faria em meu lugar? A noite ainda seria longa, e eu me sentia dramaticamente só. Teria, ao menos, a elementar coragem do suicídio? Nem isso era certo.

Acordei pelas seis da manhã com uma tremenda dor de cabeça. Enquanto passava o café procurei *Dez perguntas sobre o islã*, mas quinze minutos depois tive de me render ao óbvio: minha mochila não estava lá, devia tê-la deixado na casa de Rediger.

Depois de dois Aspegic, encontrei energia suficiente para mergulhar num dicionário de jargão teatral, publicado em 1907, e consegui encontrar duas palavras raras usadas por Huysmans, que facilmente poderiam passar por neologismos. Era a parte divertida de meu trabalho, divertida e relativamente fácil: a parte mais dura seria o prefácio, aí é que iam ficar de olho em mim, e isso eu sabia muito bem. Mais cedo ou mais tarde teria de me concentrar de novo em minha própria tese. Aquelas oitocentas páginas me apavoravam, quase me esmagavam; até onde eu me lembrava, minha tendência tinha sido a de reler o conjunto da obra de Huysmans à luz de sua conversão futura. O próprio autor incitava a isso, e talvez eu tivesse me deixado manipular por ele — seu próprio prefácio de *À rebours*, escrito vinte anos depois, era sintomático. *À rebours* levava inevitavelmente a um retorno ao seio da Igreja? Esse retorno afinal se produzira, a sinceridade de Huysmans não deixava nenhuma dúvida, e *Les foules de Lourdes*, seu último livro, era autenticamente o livro de um cristão, em que esse esteta misantropo e solidário, superando a aversão que lhe inspiravam as carolices saint-sulpicianas, conseguia enfim se deixar transportar pela fé elementar da massa dos peregrinos. Por outro lado, no plano prático esse retorno não lhe exigira sacrifícios propriamente consideráveis: seu estatuto de oblato em Ligugé permitia-lhe viver fora do mosteiro; ele tinha sua própria criada, que lhe preparava esses pratos da cozinha burguesa que tiveram um papel tão grande em sua vida; possuía sua biblioteca e seus pacotes de fumo holandês. Assistia ao conjunto dos ofícios, o que sem nenhuma dúvida lhe dava prazer, sua dileção estética e quase carnal pela liturgia católica transparecia em cada página de seus últimos livros; mas ele nunca mencionava as questões metafísicas levantadas por Rediger na véspera. Os espaços infinitos que apavoravam Pascal, que afundavam Newton e Kant no deslumbramento e no respeito, nem de longe ele os percebera. Huysmans era um converso, sem dúvida, mas não à maneira de Péguy ou Claudel. Compreendi nesse instante que minha própria tese não me seria de grande valia; e as declarações do próprio Huysmans, também não.

Pelas dez da manhã, considerei que era uma hora decente para me apresentar na rue des Arènes, 5; o mordomo da véspera me recebeu com um sorriso, sempre com seu uniforme branco de gola Mao. O professor Rediger não estava, me informou, e eu de fato tinha esquecido um objeto. Trouxe-me a mochila Adidas em menos de trinta segundos, certamente já a separara desde as primeiras horas do dia; era cortês, eficaz e discreto, em certo sentido me impressionava ainda mais que as mulheres da casa. Devia resolver as questões do dia a dia num abrir e fechar de olhos, num estalar de dedos.

Ao descer de novo a rue Quatrefages, eu me vi, sem ter procurado, diante da grande mesquita de Paris. Meus pensamentos não se voltaram para o eventual Criador do Universo mas, de forma um tanto mais rudimentar, para Steve: era claríssimo, pensei, que o nível de ensino tinha baixado. Eu não possuía propriamente a notoriedade de um Gignac; mas, de qualquer maneira, caso me decidisse a voltar, podia estar certo de ser bem-recebido.

Em contrapartida, foi em total consciência que continuei pela rue Daubenton em direção à Sorbonne-Paris III. Não pretendia entrar, só ficar passando diante das grades; mas tive um gesto de verdadeira alegria ao reconhecer o vigia senegalês. E ele também estava radiante: "Contente de vê-lo, senhor! É bom que esteja de volta!..." Não tive coragem de desiludi-lo, e entrei, como ele me convidava, no pátio principal. Pensando bem, eu passara quinze anos de minha vida naquela faculdade, dava prazer reconhecer, pelo menos, uma pessoa. Fiquei imaginando se ele também precisara se converter para ser recontratado; mas talvez já fosse muçulmano, certos senegaleses o são, pelo menos era essa a minha impressão.

Passeei uns quinze minutos sob as arcadas de vigas metálicas, meio surpreso com minha própria nostalgia, todo tempo consciente de que o ambiente era realmente muito feio, aqueles prédios horrorosos haviam sido construídos durante o pior período do modernismo, mas a nostalgia nada tem de sentimento estético, tampouco está ligada à lembrança de uma felicidade, somos nostálgicos de um lugar simplesmente porque ali vivemos, bem ou mal, pouco importa, o passado é sempre bonito, e o futuro também, aliás, só o presente é que faz mal, é que transportamos conosco como um abscesso de sofrimento que nos acompanha entre dois infinitos de felicidade serena.

Aos poucos, de tanto andar entre as vigas metálicas, minha nostalgia se extinguiu, e até deixei de pensar de vez. Ainda pensei um pouco em Myriam, rapidamente mas de forma bem dolorosa, ao passar pelo bar do térreo onde se dera nosso primeiro encontro. Agora as estudantes estavam, é claro, de véu, em geral véus brancos, e andando duas a duas ou três a três sob as arcadas, e faziam a gente pensar um pouco num claustro, em suma, a impressão geral era inegavelmente de estudo. Fiquei pensando no efeito que aquilo podia ter no cenário mais antigo da Sorbonne-Paris IV, se as pessoas se sentiriam de volta aos tempos de Abelardo e Heloisa.

*Dez perguntas sobre o islã* era, de fato, um livro simples, estruturado com grande eficácia. O primeiro capítulo, respondendo à pergunta "Qual é nossa crença?", não me ensinou praticamente nada. Era, grosso modo, o que Rediger me dissera na véspera, durante a tarde passada na casa dele: a imensidão e a harmonia do Universo, a perfeição do desígnio etc. Seguia-se um curto desenvolvimento sobre a sucessão dos profetas, culminada por Maomé.

Como provavelmente a maioria dos homens, pulei os capítulos dedicados aos deveres religiosos, aos pilares do islã e ao jejum, para chegar direto ao capítulo VII: "Por que a poligamia?". Para falar a verdade, a argumentação era original: a fim de realizar seus desígnios sublimes, expunha Rediger, o Criador do Universo passava, no que se refere ao cosmo inanimado, pelas leis da geometria (uma geometria decerto não euclidiana; tampouco uma geometria comutativa; mas, afinal, uma geometria). Em contrapartida, no que se refere aos seres vivos, os desígnios do Criador se expressavam por meio da seleção natural: por ela é que as criaturas animadas alcançavam seu máximo de beleza, vitalidade e força. E em todas as espécies animais, das quais o homem fazia parte, a lei era a mesma: só certos indivíduos eram chamados a transmitir sua semente e a engendrar a geração futura, da qual dependeria, por sua vez, um número indefinido de gerações. No caso dos mamíferos, levando em conta o tempo de gestação das fêmeas, a ser relacionado com a capacidade de reprodução quase ilimitada dos machos, a pressão seletiva exercia-se em primeiro lugar sobre os machos. A desigualdade entre machos — se a alguns cabia a fruição de várias fêmeas, outros deveriam necessariamente ser privados delas — não devia, pois, ser considerada um efeito perverso da poligamia, mas simplesmente seu objetivo real. Era assim que se realizava o destino da espécie.

Essas curiosas considerações o levavam direto ao capítulo VIII, mais consensual, intitulado "A ecologia e o islã", que lhe permitia de forma acessória tratar a questão da alimentação *hallal,* assimilada por ele a uma espécie de comida orgânica melhorada. Quanto aos capítulos IX e X, dedicados à economia e às instituições políticas, pareciam feitos de propósito para conduzirem à candidatura de Mohammed Ben Abbes.

Nesse livro destinado a um vastíssimo público, e que aliás o atingira, Rediger multiplicava os arranjos dirigidos a um público humanista e não parava de comparar o islã com as civilizações, pastorais e brutais, que o haviam precedido. Assim, sublinhava que o islã não inventara a poligamia, mas, sim, que contribuíra para regulamentar sua prática; que não estava na origem do apedrejamento, nem da excisão; que o profeta Maomé considerara meritória a alforria dos escravos, e que, ao estabelecer a igualdade de princípio de todos os homens perante o Criador, pusera um fim a qualquer forma de discriminação racial nos países que dominava.

Eu conhecia todos esses argumentos, escutara-os mil vezes; isso não os impedia de serem exatos. Mas o que me impressionara durante nosso encontro, e o que me impressionava ainda mais em seu livro, era esse *discurso redondo,* que inevitavelmente aproximava Rediger do campo político. Nós não tínhamos tocado no tema político, naquela tarde na casa da rue des Arènes; mas não fiquei nada surpreso, uma semana depois, ao ver que por ocasião de uma minirreforma ministerial ele acabava de ser nomeado para o cargo de secretário de Estado para as Universidades, recriado naquele momento.

Nesse meio-tempo tive a oportunidade de verificar que ele se mostrara muito menos prudente em artigos destinados a revistas de circulação mais restrita, como a *Revue d'études palestiniennes* e *Oummah*. A ausência de curiosidade dos jornalistas era de fato uma bênção para os intelectuais, porque hoje tudo isso estava facilmente disponível na internet, e me parecia que exumar alguns desses artigos poderia lhe render certos aborrecimentos; mas, afinal, talvez eu estivesse enganado, tantos intelectuais no século XX tinham apoiado Stalin, Mao ou Pol Pot sem que jamais tivessem sido criticados por isso; o intelectual na França não precisava ser *responsável*, isso não fazia parte de sua natureza.

Num artigo destinado à *Oummah*, em que ele levantava a questão de saber se o islã era chamado a dominar o mundo, Rediger respondia afinal pela afirmativa. Mal e mal voltava ao caso das civilizações ocidentais, de tal maneira lhe pareciam, é claro, condenadas (o individualismo liberal devia triunfar na medida em que se contentasse em dissolver essas estruturas intermediárias que eram as pátrias, as corporações e as castas, mas, ao atacar essa estrutura última que era a família, e portanto a demografia, assinalaria seu fracasso final; então viria, logicamente, o tempo do Islã). Ele se mostrava mais prolixo sobre o caso da Índia e da China: se a Índia e a China tivessem conservado suas civilizações tradicionais, escrevia ele, teriam conseguido, tornando-se alheias ao monoteísmo, escapar da influência do islã; mas, a partir do momento em que se deixaram contaminar pelos valores ocidentais, também elas estavam condenadas; ele detalhava o processo, fornecia um calendário prevendo o que viria pela frente. O artigo, claro e documentado, traía nitidamente a influência de Guénon e sua distinção fundamental entre as civilizações tradicionais, consideradas em seu conjunto, e a civilização moderna.

Em outro artigo, pronunciava-se claramente a favor de uma divisão muito desigual das riquezas. Se a miséria propriamente dita devia ser excluída de uma sociedade muçulmana autêntica (o socorro por meio da esmola constituía um dos cinco pilares do islã), esta devia, porém, manter uma distância considerável entre a grande massa da população, vivendo numa pobreza decente, e uma ínfima minoria de indivíduos faustosamente ricos, o suficiente para se entregarem a despesas exageradas e delirantes, que garantissem a sobrevivência do luxo e das artes. Dessa vez, a posição aristocrática vinha diretamente de Nietzsche; no fundo, Rediger permanecera notavelmente fiel aos pensadores de sua juventude.

Nietzschiana também era sua hostilidade sarcástica e ferina ao cristianismo, que a seu ver se baseava apenas na personalidade decadente e marginal de Jesus. O fundador do cristianismo se divertira na companhia das mulheres, e *isso se sentia*, ele escreveu. "Se o islã despreza o cristianismo", citava ele, retomando o autor de *O anticristo*, "há mil razões para isso; o islã tem *homens* como condição primeira...". A ideia da divindade de Cristo, continuava Rediger, era o erro fundamental que levava inelutavelmente ao humanismo e aos "direitos humanos". Isso também Nietzsche já dissera, e em termos mais duros, assim como, sem dúvida, ele teria aderido à ideia de que o islã tinha como missão purificar o mundo livrando-o da doutrina deletéria da encarnação.

Ao envelhecer, eu mesmo me aproximava de Nietzsche, como é sem dúvida inevitável quando a gente tem problemas de hidráulica. E eu me sentia mais interessado por Eloim, o sublime ordenador das constelações, do que por seu insípido rebento. Jesus amara demais os homens, este era o problema; deixar-se crucificar por eles demonstrava, no mínimo, uma *falta de gosto*, como teria dito a velha puta. E o resto de suas ações tampouco demonstrava um grande discernimento, como por exemplo o perdão à mulher adúltera, com argumentos do gênero "quem nunca pecou" etc. No entanto, não era muito complicado, bastava chamar um menino de sete anos — ele lhe teria atirado a primeira pedra, esse menino safado.

Rediger escrevia muito bem, era claro e sintético, às vezes com uma ponta de humor, como ao zombar de um de seus colegas, talvez um intelectual muçulmano concorrente, que introduzira num artigo a noção de *imãs 2.0*, aqueles que tinham se atribuído a missão de reconverter jovens franceses oriundos da imigração muçulmana. Agora, ele corrigia, seria melhor falar de *imãs 3.0*: os que convertiam os jovens de velhas famílias francesas — o humor, em Rediger, nunca durava muito; uma consideração séria vinha logo em seguida. Mas era sobretudo a seus colegas *islamoesquerdistas* que ele reservava seus sarcasmos: o islamoesquerdismo, ele escrevia, era uma tentativa desesperada de marxistas decompostos, putrefatos, em estado de morte clínica, de se alçarem para fora do lixo da história agarrando-se às forças ascendentes do islã. No plano conceitual, ele prosseguia, eram motivo de chacota tanto quanto os famosos "nietzschianos de esquerda". Decididamente, Nietzsche era uma obsessão; porém, seus artigos de inspiração nietzschiana não demoraram a me cansar — sem dúvida eu tinha lido Nietzsche demais, conhecia-o e o compreendia perfeitamente, ele perdera toda a capacidade de me encantar. Estranhamente, eu era mais atraído por sua fibra guénoniana — é verdade que Guénon, quando lido em sua totalidade, é um autor chatíssimo, e Rediger oferecia uma versão acessível, *light*. Eu gostava em especial de um artigo chamado "Geometria do vínculo", publicado na *Revue d'études traditionnelles*. Mais uma vez ele voltava ao fracasso do comunismo —

que era, afinal de contas, uma primeira tentativa de luta contra o individualismo liberal —, para ressaltar que Trótski tivera, enfim, razão contra Stálin: o comunismo só conseguiria triunfar se fosse mundial. A mesma regra, advertia ele, valia para o islã: ele seria universal, ou não seria. Mas o essencial do artigo era uma curiosa meditação, não desprovida de uma espécie de kitsch spinoziano, com escólios e toda essa lenga-lenga, em torno da teoria dos grafos. O artigo tentava demonstrar que só uma religião consegue criar uma relação total entre os indivíduos. Se considerarmos, escrevia Rediger, um grafo de ligação, ou seja, indivíduos (pontos) ligados por relações pessoais, é impossível construir um grafo planar ligando entre si o conjunto dos indivíduos. A única solução é passar por um plano superior, contendo um ponto único chamado Deus, a quem seria ligado o conjunto dos indivíduos; e estes seriam ligados entre si por esse intermediário.

Tudo isso era muito agradável de ler; ao mesmo tempo, no plano geométrico, a demonstração me parecia falsa; mas, afinal, isso me distraía de meus problemas de hidráulica. Fora isso, minha vida intelectual estava em ponto morto; eu avançava na elaboração do aparato de notas, mas continuava em pane quanto ao prefácio. Aliás, curiosamente, foi durante uma pesquisa na internet sobre Huysmans que caí num dos mais fantásticos artigos de Rediger, este publicado na *Revue européenne*. Huysmans só era citado incidentalmente, como o autor em quem o impasse do naturalismo e do materialismo aparecia com a maior evidência; mas todo o artigo era um enorme e discreto convite a seus antigos colegas tradicionalistas e identitários. Ele defendia com fervor que era trágico que uma hostilidade irracional ao islã os impedisse de reconhecer essa evidência: no essencial, estavam em total acordo com os muçulmanos. Sobre a rejeição ao ateísmo e ao humanismo, sobre a necessária submissão da mulher, sobre o retorno ao patriarcado: o combate deles, de todos os pontos de vista, era exatamente o mesmo. E esse combate, necessário à instauração de uma nova fase orgânica de civilização, já não podia, hoje, ser travado em nome do cristianismo; era o islã, religião irmã, mais recente, mais simples e mais verdadeira (pois por que Guénon, por exemplo, se convertera ao islã? Guénon era antes de tudo um espírito científico, e escolhera o islã como cientista, por economia de conceitos; e para evitar, também, certas crenças irracionais marginais, tais como a presença real da Eucaristia), era o islã, portanto, que hoje retomava a dianteira. Na base de muitos mimos, carícias e cafunés vergonhosos nos progressistas, a Igreja católica se tornara incapaz de se opor à decadência dos costumes. De rejeitar claramente, vigorosamente, o casamento homossexual, o direito ao aborto e o trabalho das mulheres. Era preciso se render à evidência: tendo chegado a um grau de decomposição repugnante, a Europa ocidental já não estava em condições de se salvar por si mesma — assim como não estivera a Roma antiga no século v de nossa era. A chegada maciça de populações imigrantes impregnadas de uma cultura tradicional ainda marcada pelas hierarquias naturais, pela submissão da mulher e pelo respeito devido aos mais velhos constituía uma chance histórica para o rearmamento moral e familiar da Europa, abria a perspectiva de uma nova idade de ouro para o velho continente. Às vezes essas populações eram cristãs; mas via de regra eram, devia-se reconhecer, muçulmanas.

Ele, Rediger, era o primeiro a admitir que a cristandade medieval tinha sido uma grande civilização, cujas realizações artísticas permaneceriam eternamente vivas na memória dos homens; mas aos poucos ela perdera terreno, tivera de compor com o racionalismo, desistir de submeter o poder temporal a si mesma, e assim, aos poucos, se condenara, e isso por quê? No fundo, era um mistério; Deus assim decidira.

Pouco depois recebi o *Dicionário da gíria moderna*, de Rigaud, publicado pela Ollendorff em 1881, que eu encomendara fazia tempo, e que me permitiu esclarecer certas dúvidas. Como eu desconfiava, o "claquedent" não era uma invenção de Huysmans, mas designava uma casa de tolerância; e o "clapier", mais genericamente, um local de prostituição. Quase todas as relações sexuais de Huysmans tinham sido com prostitutas, e sua correspondência com Arij Prins era muito completa sobre o capítulo dos bordéis europeus. Percorrendo essa correspondência, veio-me de súbito a sensação de que devia ir a Bruxelas. Eu não tinha para isso um motivo preciso. É claro que Huysmans fora publicado em Bruxelas, mas na verdade a certa altura quase todos os autores importantes da segunda metade do século XIX tiveram, para escapar da censura, que recorrer aos serviços de um editor belga, Huysmans e os outros, e essa viagem, na época da redação de minha tese, não me parecera indispensável; lá estive quatro anos depois, mas no fundo foi mais por Baudelaire; foram sobretudo a sujeira e a tristeza da cidade que me impressionaram, tanto como o ódio palpável, mais ainda que em Paris ou Londres, entre as comunidades: em Bruxelas a gente se sentia, mais que em qualquer outra capital europeia, à beira da guerra civil.

Bem recentemente, o Partido Muçulmano da Bélgica chegara ao poder. Foi um acontecimento considerado importante do ponto de vista do equilíbrio político europeu. É claro que partidos muçulmanos nacionais já integravam coligações de governo na Inglaterra, na Holanda e na Alemanha; mas a Bélgica era o segundo país, depois da França, onde o partido muçulmano via-se em posição majoritária. Esse fracasso retumbante das direitas europeias tinha, no caso da Bélgica, uma explicação simples: os partidos nacionalistas flamengo e valão, de longe as primeiras formações políticas em suas respectivas regiões, jamais tinham conseguido se entender nem sequer iniciar um verdadeiro diálogo, ao passo que os partidos muçulmanos flamengo e valão, na base de uma religião comum, haviam chegado muito facilmente a um acordo de governo.

A vitória do Partido Muçulmano da Bélgica foi logo saudada por uma mensagem calorosa de Mohammed Ben Abbes; aliás, a biografia de seu secretário-geral, Raymond Stouvenens, apresentava certos pontos em comum com a de Rediger: ele pertencera ao movimento identitário, do qual fora um dirigente importante — sem nunca se comprometer com as facções abertamente neofascistas — antes de se converter ao islã.

O serviço de alimentação dos trens Thalys propunha agora a escolha entre um cardápio tradicional e um cardápio *hallal*. Era a primeira transformação visível — e também a única: as ruas continuavam igualmente sujas, e o Hotel Métropole, embora seu bar estivesse fechado, conservara boa parte do velho esplendor. Fui para a rua por volta das sete da noite, fazia ainda mais frio que em Paris, as calçadas estavam cobertas por uma neve preta. Foi num restaurante da rue de la Montagne-aux-Herbes-Potagères, hesitando entre um *waterzooi* de frango e uma enguia com ervas, que tive de repente a certeza de que entendia totalmente Huysmans, melhor do que ele mesmo se entendia, e que agora conseguiria escrever meu prefácio; precisava voltar para o hotel e tomar notas, e saí do restaurante sem fazer o pedido. O serviço de quarto oferecia um *waterzooi* de frango, o que resolvia definitivamente a questão. Teria sido um erro dar demasiada importância às "devassidões" e às "farras" condescendentemente evocadas por Huysmans, pois nisso havia sobretudo um tique naturalista, um clichê de época, ligado também à necessidade de provocar escândalo, de chocar os burgueses, em suma, era algo ligado a um plano de carreira; e a oposição que ele estabelecia entre os apetites carnais e os rigores da vida monástica também não tinha pertinência. A castidade não era um problema, jamais tinha sido, nem para Huysmans nem para ninguém, e minha curta temporada em Ligugé apenas me confirmara isso. Submeta o homem a impulsos eróticos (extremamente padronizados, aliás, os decotes e as minissaias sempre funcionam, *tetas y culo*, dizem de modo expressivo os espanhóis), e ele sentirá desejos sexuais; suprima os ditos impulsos e ele deixará de sentir esses desejos, e no espaço de alguns meses, às vezes de algumas semanas, perderá até mesmo a memória da sexualidade; isso nunca na verdade criou o menor problema aos monges, e aliás, desde que o novo regime islâmico fizera evoluir a indumentária feminina para uma maior decência, eu mesmo sentia aos poucos meus impulsos serenarem, passava às vezes dias inteiros sem pensar nisso. A situação das mulheres talvez fosse ligeiramente diferente, o impulso erótico nas mulheres é mais difuso e, portanto, mais difícil de vencer, mas, afinal, eu de fato não tinha tempo de entrar nesses detalhes alheios ao assunto, apenas tomava notas com frenesi, e depois de terminar meu *waterzooi* pedi uma tábua de queijos; não só o sexo nunca tivera em Huysmans a importância que ele supunha mas, definitivamente, a morte também não, as angústias existenciais não eram sua seara, e o que tanto o impressionara na famosa crucificação de Grünewald não era a representação da agonia de Cristo, mas simplesmente seus sofrimentos físicos, e também nisso Huysmans era muito parecido com os outros homens, para quem a própria morte costuma ser mais ou menos indiferente, a única preocupação real deles, sua verdadeira aflição, é escapar sempre que possível do sofrimento físico. Até no terreno da crítica artística as posições expressas por Huysmans eram equivocadas. Ele tomara violentamente o partido dos impressionistas, quando eles se chocaram com o academicismo da época, e escrevera páginas admirativas sobre pintores como Gustave Moreau ou Odilon Redon; mas ele mesmo, em seus próprios romances, ligava-se menos ao impressionismo ou ao simbolismo do que a uma tradição pictórica amplamente mais antiga, a dos mestres flamengos. As visões oníricas de *En rade*, que de fato poderiam lembrar certas esquisitices da pintura simbolista, eram um tanto falhas, e afinal deixavam uma lembrança bem menos viva do que suas descrições calorosas e intimistas das refeições com os Carhaix em *Là-bas*. Então me dei conta de que esquecera *Là-bas* em Paris, eu precisava voltar, e me conectei à internet, o primeiro Thalys saía às cinco horas, às sete da manhã eu estava em minha casa e encontrei os trechos em que ele descrevia a cozinha de "mamãe Carhaix", como a chamava, o único verdadeiro tema de Huysmans foi a felicidade burguesa, uma felicidade burguesa dolorosamente inacessível ao solteiro, e que não era nem sequer a da alta burguesia, a cozinha celebrada em *Là-bas* era mais o que se poderia chamar de cozinha familiar decente, e ainda menos era a da aristocracia, ele nunca manifestara senão desprezo pelos "palermas armoriados" fustigados em *L'oblat*. O que de fato representava a felicidade, a seu ver, era uma alegre refeição entre artistas e entre amigos, um *pot-au-feu* com molho de raiz-forte, acompanhado por um vinho "honesto", e depois uma aguardente de ameixa e um fumo, ao pé do fogareiro, enquanto as rajadas do vento invernal batem nas torres de Saint-Sulpice. A vida recusara a

Huysmans esses prazeres simples, e só mesmo alguém tão insensível e brutal como Bloy para se espantar ao vê-lo chorar na morte, em 1895, de Anna Meunier, sua única relação feminina duradoura, a única mulher com quem pôde, brevemente, viver "como casal", antes que a doença nervosa de Anna, na época incurável, o obrigasse a interná-la no Sainte-Anne.

Durante o dia saí para comprar cinco pacotes de cigarro, depois encontrei o cardápio do bufê libanês, e duas semanas mais tarde meu prefácio estava pronto. Uma depressão vinda dos Açores acabava de chegar à França, havia no ar algo de levemente úmido e primaveril, uma doçura ambígua. Ainda no ano passado, nessas condições meteorológicas veríamos aparecer as primeiras saias curtas. Depois da avenue de Choisy continuei pela avenue des Gobelins e pela rue Monge. Num café perto do Institut du Monde Arabe, reli minhas quarenta laudas. Havia detalhes de pontuação a rever, algumas referências a completar, mas mesmo assim não havia nenhuma dúvida: era o que eu tinha feito de melhor; e era também o melhor texto jamais escrito sobre Huysmans.

Voltei para casa devagar, a pé, como um velhinho, tomando progressivamente consciência de que, desta vez, era de fato o fim de minha vida intelectual; e era também o fim de minha longa, longuíssima relação com Joris-Karl Huysmans.

É claro que eu não ia dar a notícia a Bastien Lacoue; eu sabia que ele levaria pelo menos um ano, talvez dois, até se preocupar com o término do negócio; eu teria tempo de sobra para aprimorar minhas notas de rodapé, em suma, entrava num período *supercool* de minha vida.

Só *cool*, na verdade, ponderei ao abrir pela primeira vez a caixa de correio desde a volta de Bruxelas; restavam os problemas administrativos, e a administração "não dorme nunca".

Por ora não me sentia com coragem de abrir nenhum daqueles envelopes; de certa forma, por duas semanas fora *transportado para as terras do ideal*, ou seja, no meu modesto nível eu tinha *criado*; retornar já agora a meu estatuto de sujeito administrativo ordinário me parecia meio rude. Havia um envelope intermediário, vindo da universidade Paris IV-Sorbonne. Ah, ah, pensei.

Meu "ah, ah" ganhou consistência quando descobri o conteúdo: eu era convidado, já no dia seguinte, para as cerimônias que acompanhavam a posse de Jean-François Loiseleur como professor da universidade. Haveria uma recepção oficial no auditório Richelieu, e um discurso; depois, um coquetel numa sala contígua, prevista para isso.

Eu me lembrava perfeitamente de Loiseleur, ele é que me apresentara ao *Journal des dix-neuvièmistes*, muitos anos antes. Ingressara na carreira universitária depois de uma tese original dedicada aos últimos poemas de Leconte de Lisle. Considerado, ao lado de Heredia, o líder dos parnasianos, Leconte de Lisle era em geral desprezado, visto como um "honesto artífice sem gênio", para falar como os autores de antologias. No entanto, sob o efeito de uma espécie de crise místico-cosmológica, escrevera em sua velhice alguns poemas estranhos, que em nada lembravam o que escrevera antes, nem o que se escrevia na época, na verdade não lembravam rigorosamente nada, e dos quais apenas se podia dizer, à primeira vista, que eram *completamente doidos*. O primeiro mérito de Loiseleur fora exumá-los, e o segundo, conseguir dizer algo a mais sobre eles, sem por isso chegar a inscrevê-los numa filiação literária real — a seu ver, melhor conviria aproximá-los de certos fenômenos intelectuais contemporâneos do parnasiano envelhecido, tais como a teosofia e o movimento espírita. Assim ele adquirira, nesse campo em que não tinha nenhum concorrente, uma certa notoriedade — sem conseguir aspirar à estatura internacional de um Gignac, era regularmente convidado a dar conferências em Oxford e em St. Andrews.

No plano pessoal, Loiseleur correspondia muitíssimo bem a seu objeto de estudo; nunca eu encontrara alguém que evocasse a tal ponto o personagem do sábio Cosinus: cabelo comprido, grisalho e sujo, óculos de grau enormes, ternos desparelhados e em tal estado que volta e meia ele parecia no limite da higiene, e por isso mesmo inspirava um misto de respeito e piedade. Com toda certeza não pretendia *representar um personagem*: simplesmente era assim, e não podia ser diferente; era, aliás, o homem mais gentil e suave do mundo, sem a menor vaidade. O ensino em si mesmo, que apesar de tudo implicava certa forma de contato com seres humanos de natureza variada, sempre o apavorara; como Rediger conseguira convencê-lo? Sim, eu iria pelo menos ao coquetel; estava curioso para saber.

Dotados de um caráter histórico e de um endereço de fato prestigioso, os salões de recepção da Sorbonne nunca eram usados, em minha época, para mundanidades universitárias, mas volta e meia eram alugados, por um preço indecente, para desfiles de moda e outros eventos badalados; talvez não fosse muito honroso, mas era muito útil para equilibrar o orçamento funcional. Os novos proprietários sauditas puseram ordem em tudo isso, e por iniciativa deles o lugar recuperara certa dignidade acadêmica. Ao entrar no primeiro salão, encontrei, feliz, os banners do bufê libanês que me acompanhara durante toda a redação do prefácio. Agora eu conhecia de cor o cardápio e preparei meu prato com conhecimento de causa. O público era composto da mistura habitual de universitários franceses e dignitários árabes; mas desta vez havia muitos franceses, tive a impressão de que todos os professores estavam lá. Era muito compreensível: dobrar-se à autoridade do novo regime saudita ainda era considerado por muitos como um ato meio vergonhoso, um ato por assim dizer de *colaboração*; reunindo-se entre eles, pareciam mais numerosos, davam-se mutuamente coragem, e era grande a satisfação quando tinham a oportunidade de receber um novo colega.

Logo depois de me servir de uns *mezzes,* me vi cara a cara com Loiseleur. Ele estava mudado: sem ser propriamente apresentável, seu aspecto externo tivera um nítido progresso. Seu cabelo, igualmente longo e sujo, estava quase penteado; o paletó e a calça do terno eram mais ou menos do mesmo tom, e não tinham à guisa de enfeite nenhuma mancha de gordura, nenhuma queimadura de cigarro; podia-se sentir, pelo menos essa era a minha impressão, que certa mão feminina começara a agir sobre ele.

"Pois é...", ele me confirmou sem que eu lhe tivesse perguntado, "*dei o grande passo.* Curioso, nunca tinha pensado nisso antes, e, afinal, é muito agradável. Estou contente em revê-lo. E você, como vai?"

"Você quer dizer que se *casou*?", eu precisava de uma confirmação.

"Sim, sim, me casei, é isso. Muito estranho, no fundo, uma só carne, não é?, mas muito bom. E você, como vai?"

Ele poderia igualmente me anunciar que tinha se tornado um *junkie*, ou adepto de esportes aquáticos, realmente nada em Loiseleur conseguiria me surpreender; mas ainda assim aquilo foi um choque, e repeti estupidamente, com o olho fixo no broche da Legião de Honra que ornava seu repugnante paletó azul-petróleo: "*Casado*? Com uma *mulher*?". Eu devia imaginar que ele era virgem, aos sessenta anos; e afinal, era possível.

"Sim, sim, com uma mulher, eles me arranjaram isso", confirmou, balançando a cabeça vigorosamente. "Uma estudante de segundo ano."

Fiquei sem voz, e então ele foi agarrado por um colega, um velhote excêntrico de seu gênero, mas ainda assim mais limpo — um especialista no século XVII, parecia-me, especialista em burlescos e autor de um livro sobre Scarron. Pouco depois vi Rediger no meio de uma pequena roda, no outro extremo da galeria onde ocorria a recepção. Ultimamente, mergulhado em meu prefácio, não tinha pensado muito nele, e então me dei conta de que estava de fato contente em revê-lo. Ele, por sua vez, me cumprimentou calorosamente. Agora eu devia chamá-lo de "senhor ministro", brinquei. "Como é a política? É realmente duro?", perguntei, mais sério.

"É. O que se conta não tem nada de exagero. Eu estava acostumado com as lutas de poder num contexto universitário; mas agora é um nível acima. Dito isso, Ben Abbes é de fato uma figura notável: tenho orgulho de trabalhar com ele."

Lembrei-me então de Tanneur, da comparação que fizera com o imperador Augusto, na noite em que jantamos em sua casa no Lot; a comparação pareceu interessar Rediger, deu-lhe o que pensar. As negociações com o Líbano e o Egito avançavam bem, ele me disse; e tinham sido feitos os primeiros contatos com a Líbia e a Síria, onde Abbes reativara amizades pessoais com os Irmãos Muçulmanos locais. Na verdade, tentava simplesmente refazer em menos de uma geração, e apenas pela via diplomática, o que o Império romano levara séculos para realizar — incorporando de quebra, e sem dar um só tiro, os vastos territórios da Europa do Norte até a Estônia, a Escandinávia e a Irlanda. Para completar, tinha o sentido da simbologia, e preparava-se para entregar uma proposta de diretiva europeia visando transferir para Roma a sede da Comissão, e para Atenas a do Parlamento. "Raros são os construtores de império...", acrescentou Rediger, pensativo. "É uma arte difícil manter juntas nações separadas pela religião e pela língua, fazê-las aderir a um projeto político comum. Excetuando o Império romano, vejo apenas o Império otomano, numa escala mais restrita. Napoleão teria sem dúvida as qualidades necessárias para isso — sua gestão do processo israelita é extraordinária, e durante a expedição ao Egito mostrou que também era perfeitamente capaz de lidar com o islã. Ben Abbes, sim... É possível que Ben Abbes tenha o mesmo estofo..."

Balancei a cabeça com entusiasmo, embora a referência ao Império otomano me escapasse um pouco, mas me sentia à vontade naquele ambiente etéreo, flutuante, de conversa cortês entre pessoas instruídas. Inevitavelmente, depois chegamos a falar de meu prefácio; eu tinha dificuldade de me desligar desse trabalho sobre Huysmans que me ocupara, mais ou menos surdamente, por anos a fio — minha vida, de fato, não tivera outro objetivo, constatei com certa melancolia, embora sem falar disso a meu interlocutor, pois era um pouco enfático demais, mas nem por isso menos verdadeiro. Aliás, ele me ouvia atentamente, sem manifestar o menor sinal de enfado. Passou um garçom e nos serviu de novo.

"Li também o seu livro", eu disse.

"Ah... Fico feliz que tenha se dado ao trabalho de lê-lo. Esse pequeno exercício de vulgarização foi, para mim, algo inusitado. Espero que o tenha achado claro."

"Sim, muito claro no conjunto. Bem, mesmo assim me surgiram umas dúvidas."

Demos uns passos até o vão de uma janela, não era muito, mas o suficiente para nos deixar afastados do fluxo principal dos convidados, que circulavam de um lado a outro da galeria. Pela janela se avistavam, banhadas por uma luz branca e fria, as colunas e a cúpula da capela que Richelieu mandara construir; eu me lembrava que seu crânio estava conservado lá dentro. "Outro grande estadista, Richelieu...", eu disse sem realmente refletir, mas Rediger logo engrenou: "Sim, concordo com você, o que Richelieu realizou pela França é extraordinário. Os reis da França eram às vezes medíocres, são os acasos da genética que criam isso; mas os grandes ministros não podiam sê-lo, em nenhuma hipótese. O que é curioso é que agora vivemos numa democracia, e a distância continua a ser igualmente grande. Eu lhe disse tudo o que eu pensava de bom a respeito de Ben Abbes; mas Bayrou, em contrapartida, é realmente um cretino, um animal político sem consistência, só serve mesmo para assumir posições que lhe sejam favoráveis na mídia; ainda bem que, na prática, Ben Abbes é quem tem todo o poder. Você me dirá que sou obcecado por Ben Abbes, mas Richelieu também me leva a ele: porque Ben Abbes se prepara, como Richelieu, a prestar imensos serviços à língua francesa. Com a adesão dos países árabes, o equilíbrio linguístico europeu se deslocará em favor da França. Mais cedo ou mais tarde, você vai ver, haverá um projeto de diretiva impondo o francês, em paridade com o inglês, como língua de trabalho das instituições europeias. Mas eu não paro de falar de política, desculpe... Você disse que tinha perguntas sobre meu livro?"

"Bem...", recomecei, depois de um prolongado silêncio, "é meio embaraçoso, mas naturalmente li o capítulo sobre a poligamia, e, sabe, para mim é um pouco difícil me considerar um macho dominante. Repensei nisso esta noite, ao chegar à recepção, ao ver Loiseleur. Francamente, os professores universitários..."

"Aí, posso lhe dizer abertamente: você está errado. A seleção natural é um princípio universal, que se aplica a todos os seres vivos, mas assume formas muito diferentes. Existe até entre os vegetais; mas nesse caso está ligada ao acesso aos nutrimentos do solo, à água, à luz solar... O homem, por sua vez, é um animal, é claro; mas não é um cão das estepes nem um antílope. O que lhe garante sua posição dominante na natureza não são suas garras nem seus dentes, nem a rapidez de sua corrida; é, pura e simplesmente, sua inteligência. Portanto, digo-lhe com absoluta seriedade: não há nada de anormal no fato de os professores universitários serem classificados entre os machos dominantes."

Ele sorriu de novo. "Sabe... Naquela tarde que passamos em minha casa, falamos de metafísica, criação do Universo etc. Tenho plena consciência de que não é o que em geral interessa de fato aos homens; mas os verdadeiros assuntos são, como você dizia, mais embaraçosos de tratar. Aliás, ainda neste momento estamos falando de seleção natural, tentamos manter a conversa num nível razoavelmente alto. É claro que é difícil perguntar diretamente: qual vai ser meu salário? A quantas mulheres terei direito?"

"Quanto ao salário, já estou mais ou menos informado."

"Pois bem, o número de mulheres, grosso modo, decorre disso. A lei islâmica impõe que as esposas sejam tratadas com igualdade, o que já supõe certos limites, ao menos em termos de moradia. No seu caso, penso que poderia ter três esposas sem maiores dificuldades — mas fique sabendo que você não é de jeito nenhum obrigado a isso."

Isso me dava, obviamente, o que pensar; mas eu tinha outra pergunta, ainda mais embaraçosa; dei uma rápida olhada ao redor, verificando se ninguém podia nos ouvir, antes de continuar.

"Há também... Quero dizer, aqui, é realmente delicado... Digamos que a vestimenta islâmica tem suas vantagens, o ambiente geral da sociedade se tornou mais calmo, mas mesmo assim ela é muito... cobridora, eu diria. Quando se está em situação de ter de escolher, isso pode criar certos problemas..."

O sorriso de Rediger foi ainda mais largo. "Não se sinta constrangido de falar disso, realmente! Você não seria um homem se não tivesse esse tipo de preocupação... Mas vou lhe fazer uma pergunta que talvez pareça surpreendente: você tem mesmo vontade de escolher?"

"Bem... sim. Acho que sim."

"Não será um pouco uma ilusão? Observa-se que todos os homens, postos em condições de escolher, fazem exatamente as mesmas escolhas. Foi o que levou a maioria das civilizações, em especial a civilização muçulmana, à criação das casamenteiras. É uma profissão muito importante, reservada às mulheres de grande experiência e de grande sabedoria. Evidentemente, elas têm o direito, na condição de mulheres, de ver as jovens despidas, de proceder ao que se deve chamar de uma espécie de avaliação, e de relacionar o físico de cada uma com o estatuto social dos futuros esposos. No seu caso, posso lhe garantir que não terá do que se queixar..."

Eu me calei. Para falar a verdade, fiquei boquiaberto.

"Aliás", prosseguiu Rediger, "se a espécie humana é um pouquinho apta a evoluir, é de fato à plasticidade intelectual das mulheres que o deve. O homem, de seu lado, é rigorosamente ineducável. Seja um filósofo da linguagem, um matemático ou um compositor de música serial, inexoravelmente ele sempre fará suas escolhas reprodutivas a partir de critérios puramente físicos, e de critérios imutáveis há milênios. Originalmente, é claro, as mulheres também são atraídas em primeiro lugar pelas vantagens físicas; mas com uma educação adequada é possível conseguir convencê-las de que o essencial não é isso. Já podemos, hoje em dia, fazer com que sejam atraídas pelos homens ricos — e, afinal de contas, enriquecer já exige um pouco mais de inteligência e astúcia do que a média. É até mesmo possível, em certa medida, convencê-las do alto valor erótico dos professores universitários...". Ele sorria abertamente, e por um instante fiquei pensando se estava sendo irônico, mas na verdade, não, não creio. "Bem, também é possível atribuir aos professores um alto salário, o que, afinal, simplifica as coisas...", concluiu.

De certa forma, ele me abria horizontes, e conjecturei se Loiseleur apelara para os serviços de uma casamenteira; mas fazer essa pergunta já era o mesmo que respondê-la: será que eu podia imaginar meu ex-colega *paquerando* as estudantes? Num caso como o dele, o casamento arranjado era obviamente a única fórmula possível.

A recepção chegava ao fim, e a noite estava surpreendentemente amena; voltei a pé para casa, sem propriamente pensar, de certo modo devaneando. Que minha vida intelectual tivesse terminado era cada vez mais uma evidência, quero dizer, eu ainda participaria de vagos colóquios, viveria de meus restos e de minhas rendas; mas começava a ter consciência — e isso era uma verdadeira novidade — de que haveria, muito provavelmente, outra coisa.

Mais umas semanas se passariam, como uma espécie de prazo de decência, durante as quais a temperatura iria aos poucos esquentando e a primavera se instalaria na região parisiense; e depois, é claro, eu telefonaria para Rediger.

Ele enfatizaria ligeiramente a própria alegria, sobretudo por delicadeza, porque faria questão de se mostrar surpreso, para me dar a impressão de um *livre-arbítrio*; ficaria de fato feliz com minha aceitação, eu sabia, mas no fundo já a considerava favas contadas, com certeza desde muito tempo, talvez até desde a tarde em que eu passara na casa dele na rue des Arènes — quando eu não tentara de jeito nenhum disfarçar a impressão que me causavam os dotes físicos de Aïcha nem os pasteizinhos quentes de Malika.

As mulheres muçulmanas eram dedicadas e submissas, eu podia contar com isso, eram criadas com esse intuito, e, no fundo, para dar prazer bastava isso; quanto à cozinha, eu não ligava muito, era menos delicado do que Huysmans nesse capítulo, mas de qualquer maneira elas recebiam uma educação adequada, devia ser muito raro que não se tornassem donas de casa pelo menos passáveis.

A cerimônia da conversão, em si mesma, seria muito simples: provavelmente ocorreria na grande mesquita de Paris, era mais prático para todos. Tendo em vista minha relativa importância, o reitor estaria presente, ou pelo menos um de seus colaboradores mais chegados. Rediger também estaria lá, é claro. De qualquer maneira, não havia um número de presentes obrigatório; aliás, é provável que também houvesse alguns fiéis correntes, pois a mesquita não seria fechada para essa ocasião, era um testemunho que eu devia dar perante meus novos irmãos muçulmanos, meus iguais perante Deus.

De manhã, o banho turco, que em geral era fechado para os homens, seria especialmente aberto para mim; vestindo um penhoar, eu atravessaria longos corredores de colunas terminadas por arcos, paredes enfeitadas com mosaicos de extrema sofisticação; depois, numa sala menor, também ornada de mosaicos requintados, banhada por uma luz azulada, eu deixaria a água morna correr longamente, muito longamente, sobre meu corpo, até que ele fosse purificado. Em seguida, tornaria a me vestir, e teria providenciado roupas novas; depois entraria na grande sala, dedicada ao culto.

Fariam silêncio ao meu redor. Imagens de constelações, de supernovas, de nebulosas espirais me atravessariam o espírito; imagens de fontes também, desertos minerais e inviolados, grandes florestas quase virgens; aos poucos eu seria penetrado pela grandeza da ordem cósmica. Depois, com uma voz calma eu pronunciaria a seguinte fórmula, que teria aprendido foneticamente: "Ash-hadu anna la iláha illa alláh, wa ash-hadu anna muhammadan rasul alláh". Cujo sentido exato era: "Testemunho que não há divindade senão Deus, e que Maomé é o enviado de Deus". E depois estaria terminado; dali em diante eu seria um muçulmano.

A recepção na Sorbonne seria muito mais longa. Rediger se orientava cada vez mais para uma carreira política, e acabava de ser nomeado ministro das Relações Exteriores, já não tinha muito tempo para se dedicar às funções de reitor; porém, faria questão de proferir pessoalmente o discurso de minha entronização (e, eu sabia, tinha certeza de que ele prepararia um excelente discurso, e ficaria feliz em proferi-lo). Todos os meus colegas estariam presentes — a notícia da minha Pléiade se espalhara pelos meios universitários, agora todos estavam informados, eu certamente era um contato a não ser desprezado; e todos estariam vestindo togas, esse traje de aparato que as autoridades sauditas tinham recentemente restabelecido.

Com certeza eu teria, antes de pronunciar meu discurso de agradecimento (que seria, segundo a tradição, muito curto), um último pensamento para Myriam. Ela iria levar sua própria vida, eu sabia, em condições muito mais difíceis que as minhas. Eu desejaria sinceramente que sua vida fosse feliz — embora não acreditasse muito nisso.

O coquetel seria alegre, e se prolongaria até muito tarde.

Alguns meses depois haveria o reinício das aulas, e, evidentemente, também as estudantes — bonitas, com véus, tímidas. Não sei como as informações sobre a notoriedade dos professores circulavam entre as estudantes, mas circulavam desde sempre, era inevitável, e eu não pensava que as coisas tivessem mudado significativamente. Cada uma daquelas moças, por mais bonita que fosse, se sentiria feliz e orgulhosa de ser escolhida por mim, e honrada de dividir meu leito. Seriam dignas de ser amadas; e, de meu lado, eu conseguiria amá-las.

Um pouco da mesma forma como isso se produzira, alguns anos antes, com meu pai, uma nova oportunidade se oferecia a mim; e seria a oportunidade de uma segunda vida, sem grande relação com a anterior.

Eu nada teria do que me lamentar.

# Agradecimentos

Não fiz estudos na universidade e recolhi todas as informações sobre essa instituição com Agathe Novak-Lechevalier, professora associada na universidade de Paris x-Nanterre. Se minhas fabulações se inscrevem num quadro mais ou menos crível, devo isso unicamente a ela.

1ª EDIÇÃO [2015] 13 reimpressões

ESTA OBRA FOI COMPOSTA PELA ABREU'S SYSTEM EM ADOBE GARAMOND E IMPRESSA EM OFSETE PELA GRÁFICA SANTA MARTA SOBRE PAPEL PÓLEN DA SUZANO S.A. PARA A EDITORA SCHWARCZ EM MAIO DE 2024